Henriette Lind og Lotte Thorsen

NYNNES DAGBOG 2

Illustrationer af Lise Rønnebæk

POLITIKEN

Indhold

JANUAR
2003

Tænk, tænk, TÆNK, kone.

Vær uvelkommen

Altså.

Så får man bare leveret et splinternyt år. Næste bind ind ad brevsprækken, før man overhovedet er nået igennem det forrige. En ordentlig ladning dage fuld af muligheder, man ikke har brug for.

Hvorfor kunne det gamle år ikke bare fortsætte? Lige tal også pænere end ulige.

Nå. Må jo til det.

Nytårsforsætter:

Må ikke længere:
1. Købe opsamlings-cd'er.
2. Hvæse hele *Sov sødt lille Jumbo* på 15 sekunder. Og forsøge at stirre 18 måneder gammelt barn i søvn m. desperate Ali Hamann-øjne.
3. Få børn m. freelancefotografer med løsagtigt forhold t. familie og fast forhold t. fotoopgaver i udlandet.
4. Vågne kl. 07.48 og køre fast forward-morgen. Inklusive karaktermord på barn.
5. Sige »Hej ven...« t. alle.
6. Må heller ikke længere sige 'knep', når moderat utilfreds med noget.
7. Forsøge at ændre stil én gang om måneden m. køb af to nye stykker tøj. (Klædeskab ligner efterhånden *Rocky Horror Picture Show*).

Må faktisk stadig gerne:
1. Hade alle, der har have.
2. Hade alle, der har kolonihave. (Især dem, der bor der hele sommerhalvåret m. florlette gardiner, blomstrede fleecetæpper og andet pis).
3. Hade alle m. au pair.
4. Hade alle, der har seks værelser på Frederiksberg til 3.000 kr. i kvartalet. (Bare fordi de har været skrevet op, siden de var halvanden time gamle).

Må lære:
1. At brænde cd'er.
2. At pifte uden fingre.
3. At andres lykke ikke er ubærlig.

Skal fremover:
1. Være virkelig god mor i 20 minutter, inden barn sover. (Hvis overskud også gerne i løbet af dagen).
2. Have sexliv.
3. Være rig.
4. Nå at skovle køtilbud i Netto mandag morgen. (For næsen af alle dem, der faktisk har råd til at købe blomstrede vattæpper og voksduge i de fede butikker).

Folk der ikke må få noget billigt i det nye år:
1. Tine Bendixen fra *Alt for Damerne*.
2. Fodboldkonerne.

Bør øjeblikkeligt gennemføres:
1. Bøder t. folk, der siger »how goes?«.
2. Lukning af Bernadotteskolen.
3. Forældre t. børn i skovbørnehaver må ikke tale med andre om det.
4. Rygetvang i kontorlandskaber.

Forbud mod:
1. Smalt, eksperimenterende teater. (Har ikke tid t. at sætte mig ind i det. Og ikke selvtillid til at sætte mig ud over det).
2. At være meget åben omkring egen lykke. (Må mødes med ligesindede v. lukkede arrangementer).
3. Bakkenbarter (IT'S OVER, venner!).
4. Tynde, brune cigaretter.
5. Speedo badebukser t. mænd.

World wide og-nu-er-det-fandeme-alvor forbud mod:
1. Mænd i pels.

Skal have anskaffet:
1. Sandfarvet sofa.
2. Sandfarvet tæppe.
3. Sandfarvede puder.
4. Sandfarvet liv.

Skal have afskaffet:
1. Vinrød sofa.
   (Bør sendes direkte til Steins Laboratorium).
2. Samtlige Billy-reoler.
3. Alt i hvidt laminat.
4. I det hele taget alle Ikea-ting m. svenske drengenavne.

Må prøve at leve med:
1. Løs hud på undersiden af overarme.
2. At min mors mentale udvikling stoppede for 40 år siden.
3. At jeg måske lige er blevet skilt.

De skal få betalt:
1. Mogens Lykketoft. (Virkelig dårlig kammerat).
2. Liberoklubben. (For at holde liv i illusionen om, at man kan få rigtigt liv med rigtigt blevalg).
3. Peter Linck. (Skulle tvinges hjem t. alle medarbejdere på cykel og sige undskyld).

Vil fremover være:
1. Åsne Seierstad (m. andet fornavn).
2. Yngre.

Savner nogen

Lørdag kl. 11.59

Arrrhhhh, altSÅ.

Hvor svært kan det være at producere plastikpose, der kan rumme 40 kilo fornødenheder?

Har lige stået m. dagligvarer for 800 kroner spredt ud over tre etager. To kilo mandariner flygtende ned ad trapperne. Skarpt forfulgt af tre-fire bægre yoghurt m. pære og banan, der troede, de var med i *Toy Story*. Og tre flasker rødvin, der pludselig blev til én for 100. (Skidegodt tilbud). Midt i det hele stod Bjørg og trampede i en sø af sødmælk. I splinternye ruskindsstøvler. (Formentlig den eneste naturoplevelse hun får i denne weekend).

Og så var det, at telefonen ringede.

Det var barnets far. På rusten linje fra Afghanistan.

»Hej. Godt nytår«.

(Ja, pissegodt nytår. Det er ti dage siden).

Klemte røret fast mellem skulder og øre (og håbede, han blev lidt kvalt) og sparkede hvæsende barn, toiletruller og tilbudsbleer ind ad hoveddør.

»Er alt okay?«, spurgte Afghanistan.

Er alt okay?

Vent lige et øjeblik. Så skal jeg tænke over, om der overhovedet er NOGET, der er okay.

Er det okay, at far til barn tager på otte ugers reportagerejse t. Afghanistan for *National Geographic*? Hen over jul og nytår. Og fyrre afleveringer og afhentninger i vuggestuen?

Er det okay at far til barn heller ikke liiiige nåede hjem fra Letland, da barn blev født?

Og er det okay at skride t. 11. september i New York, når barn er fem uger gammelt? Og blive hængende i tre uger? Kun hentet hjem af skinger hyletone i telefonen tværs over Atlanten. (Min).

Og så var der årsdagen for 11. september.

Og en hel masse vand i Tjekkiet.

Og bombe på Bali of course.

Hvor mange once-in-a-lifetime chancer kan én skide free-lancefotograf få på 17 måneder? Mens hullerne i eget barns fotoalbum bliver større og større.

Og er det okay, at jeg bare har fået nok nu? Så nok, at jeg demonterede helt familieliv to uger før Afghanistan? Og pakkede hans samlede liv plus telelinser i syv flyttekasser og sendte hele lortet til atelier i Ryesgade. Hvor det nu har stået i syv uger.

...

Og så spørger han, om alt er okay. Hvis mit liv blev sendt til syn, ville pladerne blive klippet på stedet.

Kl. 12.47
Åhh nej, altså. Telefon. Hold op. Hold op. Hold op. Hold op. Er verden ikke klar over, at mit barn sover til middag? Der er bank til den, der vækker hende. (Især hvis det er nogen, der ringer for at fortælle om deres eget liv).

...

Gæt hvem. M. fistelstemme. Almost live fra Kvickly. »Nynne, jeg har fundet det. Jeg har simpelt hen fundet det. Et skostativ til din entré. I lyst fyrretræ. Til kun 159 kroner. Du bliver SÅ glad for det«. (Som om sko i lige rækker skulle gøre nogen som helst forskel i det her liv). »Hvordan har mit barnebarn det?«. (Hun sover. Stadig. På trods af dig). »Skal mormor lige komme forbi?«. (Det må mormor selv om. Det kommer an på, hvor gammel mormor har lyst til at blive).

Hvorfor skal folk altid omtale sig selv i tredje person, så snart der er nogen under fem år til stede?

Kl. 15.20
Nå. Sidder i sofaen og læser *Kaj*-bog for Bjørg. 'Mormor' støvsuger. Har åbenbart endnu ikke opgivet at redde mit

liv m. Ajax. Hjælper trods alt også lidt med hjemmeservice bragt ind på netkort fra Husum. Hvis bare man kunne slippe for regibemærkningerne.

»Du HAR jo heller ingen skabsplads«.

Og »Hvis du tog det lidt ad gangen, ville det heller ikke vokse dig sådan over HOVEDET«.

Kl. 21.30

Ser *Inspector Morse*. Og sover. Lidt.

Hvornår var det lige mine lørdage blev så kedelige? Mangler bare slumretæppe og en kop kamillete for at have komplet pensionisttilværelse. Møgliv.

Savner 2 voksne-1 barn-opstilling.

Savner nogen.

Savner ham.

Kl. 21.35

Er i det mindste ikke veninde med Linda Tripp.

Kl. 22.40

Så. Har lige sendt en stak sms'er ud i verden. Selvfølgelig kun Anders, der har svaret. Sidder garanteret i sit Real Madrid-sengetøj og ser ishockey på video.

Hvorfor synes Anders aldrig, det er rigtig synd for mig? Overhørte alting og tilbød bare at kælke mig på arbejde på mandag.

Kan man ligge i fosterstilling i en bobslæde?

Uafgjort

Søndag kl. 22.12
Så så man lige mig m. overskud.
Har været i 'Logisk Have' med Bjørg og se 'kobadiller'.
Sammen med alle de andre enlige fædre. Og en hel masse
børn med alt for mange vi-ses-jo-kun-hver-anden-week-
end popcorn og fad-colaer i papbægre.
Lillebitte Bjørg. M. goretex-støvler, flyverdragt og våd
mund. Har kysset hendes kinder helt tynde, pudset hendes
næse 100 gange og haft god dag.

Mandag
Hæ.
Så vendte vejret.
Lige da alle kvinder m. råd havde fået investeret i pash-
minatørklædets afløser: Sorel-støvlen. M. pelsskaft og
gummisnude, der holder rige tæer varme, når det fryser 37
grader. Så de lige kan skride ned i specialbutikkerne på
Strandvejen på Knud Rasmussen-måden.
Men nu er der +5 grader celsius udenfor. Og global over-
ophedning inde i Sorel-støvlen.
Det er den slags, man kan gå og glæde sig lidt over i sin
afmagt.

Tirsdag kl. 14.10
Fuck. Der er forældremøde i vuggestuen i aften. Magter
altså ikke at være skilt i det offentlige rum endnu.
I ressourcestærk vuggestue møder begge forældre altid
op. Og stiller op t. kampvalg mod hinanden til forældrebe-
styrelsen. Fordi»de begge to bare så gerne vil«.
Så sidder de dér på børnestolene med deres ikke-proble-
mer. Og efterlyser mere rytmik og færre syltetøjsmadder.
Orker det ikke.
...
Må ringe til Natascha og spørge, om Bjørg kan være hos
hende i et par timer.

Kl. 23.09

Puha. Tror ikke, der var nogen, der opdagede noget.

Opretholdt helt, helt skæv illusion om stabilt liv, hvor barn har godt af at være. Prøvede at simulere overskud og meldte mig som referent. Smart træk. (Får ALDRIG skrevet det rent).

Hentede Bjørg hos Natascha og Victoria. Var som sædvanlig som at være på besøg i fremmed land, hvor ingen under to år har spildt på deres tøj, og hvor der bliver leget efter de helt rigtige pædagogiske principper – uden at det roder overhovedet.

Fatter det ikke.

Fatter det simpelt hen ikke. Kan desværre ikke skyde skylden på lettisk au pair, for han havde fri.

Børnene havde selvfølgelig stille og roligt fået fisk. Ikke fiskefrikadeller. Ikke fiskefileter. Men fucking friskfanget tun i ovn. OG hjemmelavet grøntsagsgratin. Som Bjørg selvfølgelig havde spist tre store portioner af.

Blev inviteret til Victorias to-års fødselsdag om en uge. Overvejer at give hende brevkursus i fransk, da hun allerede taler flydende dansk.

Bjørg kan – of course – kun sige 'far'.

Torsdag

Hm. Thomas kommer hjem fra så-ser-man-lige-mig tur til Afghanistan om to uger.

Er jeg så skilt eller hvad?

Otte rigtig gode grunde t. at blive skilt:
1. Har pakket hans samlede liv plus telelinser i syv flyttekasser og sendt det til atelier i Ryesgade for syv uger siden.
2. Råbte til ham, at vi var færdige, hvis han rejste til det dér Afghanistan.
3. Har holdt jul OG nytår i Husum. (Mens top-egoist far havde travlt m. at gennemfotografere gribende familiesituationer andet sted i verden).

4. Fik nul søvn i julen, fordi Bjørg havde mellemørebetændelse. (Ultimativ skilsmissegrund: Så min mor i natkjole. Fik fandeme chok, da jeg kom ind i stuen midt om natten og så gammelt spøgelse i bare tæer gå og vugge mit barn).
5. Har stået for samtlige indkøbsture i Iso, Matas og Jalsøe de seneste seks uger.
6. For at straffe ham.
7. For at straffe ham.
8. For at straffe ham.

Otte rigtig gode grunde t. ikke at blive skilt:
1. Vil helst ikke være enlig mor på 38 år. (Kan næsten høre Lillers musik i baggrunden).
2. Ingen at kigge på Bjørg sammen med, når hun sover.
3. Markant højere telefonregning.
4. Ingen til at med-synes, at hendes fødder er det fineste i verden.
5. Ingen til at lægge sine hænder om mit ansigt og være enig i, at det er os mod dem.
6. Ingen til at rydde op, inden sundhedsplejersken kommer, så katastrofe ligner hjem. (Hvornår holder de egentlig op m. de dér besøg?).
7. Ingen til at være hele min familie.
8. Jeg vil ikke derud igen. På markedet. (Jeg vil virkelig ikke derud igen).

Nå.
Det står 8-8.
Behøver vel heller ikke at afgøre det i dag.

Møg-isse!

Torsdag kl. 09.25

Hæ, hæ. Liv virkelig ok. I dag. Mellem 9.00 og 12.00.

Sidder i art deco-agtig tørrehjelm og ligner rumpindsvin m. mange farver og meget sølvpapir i håret. Har kaffe, cigaretter og bjerg af ugeblade.

Ny, tjekket chef sagde i tiltrædelsestale noget på managementsprog, som vist nok betød, at det er vigtigere at være til rådighed, når opgaverne kræver det end at komme og gå til tiden. Bare præstationerne er i top.

Med andre ord: Man kan sagtens gå til frisør en ganske almindelig torsdag mellem 9.00 og 12.00. Og veksle det til arbejdstid mellem 21.00 og 0.00 derhjemme om aftenen. En eller anden dag.

Nick Petersen – hvor har du været hele mit liv?

Hov. Telefon ringer.

Fint, fint. Jeg er fleksibel. Skal bare lige have vredet knolden ud af varmen. Meget dårlig forbindelse under tørrehjelm.

Nå. Nåede den sgu ikke. Én ny talebesked.

»Nynne, det er Nick. Jeg kan se, du er forsinket. Gider du lige at kigge ind, når du har lagt overtøjet. Helst inden ti, hvor jeg skal videre til et møde«.

Nå.

Hm.

Lige lovlig kontant besked fra moderne chef.

Inden ti?

Der har jeg ikke engang fået madpapiret ud af håret endnu.

Tænk, tænk, TÆNK, kone.

Skal jeg opfinde en udskrabning?

Arjj. Lige voldsomt nok. (Måske også lige lovlig fleksibelt at komme retur klokken 12.00 efter indgreb i underliv. M. alt for pænt hår).

Kl. 09.36

Åhh, altså. Måtte låne frisørs baglokale for at skabe hjemmelyd i telefon. Sagde jeg arbejdede hjemme i formiddag. Fordi Bjørg er syg. Og min mor først kan passe hende fra kl. 12.00.

Troede sgu næsten selv på det. Indtil et skarpt »Stellaaaaaaaa, har du softstyleren?« skar gennem salonen.

Det hørte han sikkert ikke.

Det gjorde han ikke.

Nej, han hørte det sgu ikke.

Kl. 14.11

Hvor er han led.

Hvor er han bare LED.

Strøg ind på Nick P.'s kontor 40 sekunder over 12. Dér sad moderne leder i mørkegråt Armani og koncentrerede sig om at være skaldet på *Dagen*-måden. Og mens han liiige læste en rapport færdig, stod jeg midt på Paustiangulv, mens løgnen lige så stille sivede ud af armhulerne på mig.

Og hvad ville han så?

Han ville bare lige – INDEN 10.00 – høre, om jeg havde meldt mig til helt, helt ligegyldig konference på Schæffergården i marts. Og hvis jeg havde, om jeg så også liiige ville sørge for et værelse til ham. Jamen selvfølgelig.

»Og hvis der ikke var andet, så tror jeg, jeg vil ...«.

Men det var der. Selvfølgelig.

»Jeg vil gerne have, at du øjer det her igennem i aften og sender mig en mail med dine kommentarer, så jeg har dem til mødet klokken 8.00 i morgen tidlig«, sagde Armani og dryssede 200 A4-ark ud over bordet.

Jamen selv-fucking-følgelig.

Moderne ledelse my ass.

Hvorfor sætter han mig ikke bare til at skrive 'jeg skal aldrig mere gå til frisøren i arbejdstiden' 600 gange med speedmarker på hans åndssvage isse. Eller er jeg på en måde så important, at han har brug for mit blik på tingene, nåede jeg lige at splittænke på vej hen mod døren.

»Pænt hår«, lød det så henne fra læderstolen. »Nyt?«.

Kl. 03.24

Har hentet Bjørg i vuggestuen, købt ind t. boller i karry, lavet boller i karry, spist boller i karry, frosset portion boller i karry, badet barn, skiftet barn m. dårlig mave, badet barn igen, forsøgt at smile hele vejen gennem otte runder *Bjørnen sover* (til sidst m. blottede og helt tørre tandhalse), sunget godnatsang og kørt hele repertoiret med de ti korte: »Nu skal du sove, lille skat«, »sov nu, søde«, »du skal virkelig sove nu«.

Og SÅ det lange: »SOV FOR SATAN!«.

Har nu brugt de seneste fem timer på at 'øje' 200 A4-ark igennem og har netop e-mailet kommentarer til Nick the Dick. Med afsendertidspunktet 03.18.

Er kraftedeme fleksibel.

Og så er der oven i købet tid til at sove tre timer, før jeg skal op og være mor m. overskud. Og stærkt kort på arbejdsmarkedet.

Kl. 04.13

NEIJ. Har ikke tid til at ligge søvnløs. Har kørt rundt i seng i tre kvarter nu.

Bliver snart rasende.

ER rasende.

Der er to timer og sytten minutter, til jeg skal op. Og fem dage til Thomas kommer hjem fra Afghanistan.

Slår ham ihjel, hvis han er solbrændt.

Eller veludhvilet.

FEBRUAR

Skal jeg barbere ben?

Tirsdag kl. 21.09
Thomas kommer hjem fra Kabul i nat.
Er afklaret.
Det duer ikke.

Kl. 21.11
Det gør det ikke.
Uanset hvad han siger.
Er faktisk mere freelancefar end freelancefotograf.
Det er for lidt. Det er ikke nok. Vil ha' mere.

Kl. 21.14
Hvad skal jeg have på, når jeg fortæller ham det?

Kl. 21.15
Kan Bjørg overhovedet huske ham? To måneder er fandeme længe.
Åhhh, altså. Det store mørkhårede lokum.

Kl. 21.20
Hvor skal han bo? Han kan jo ikke bo i atelier i Ryesgade med syv flyttekasser plus telelinser for evigt.
Og hvad med Bjørg?
Skal jeg tilbyde ham at bo her lidt, til han finder noget?
Bare i en overgangsperiode?

Kl. 21.21
Nej. Alt, alt for fristende.
Så kan man også lige så godt sove sammen. Og ligge en lillebitte smule i arm.
Og det ER jo slut.

Kl. 21.23

Hvad nu, hvis han virkelig har indset alt?
Og godt selv kan se, at det, han gør, er forkert?
Og aldrig mere vil være sådan?

Kl. 21.24

Det gør han ikke.

Kl. 21.25

Det gør han jo ikke.

Kl. 21.26

Men hvad hvis han gør?

Kl. 21.27

DET GØR HAN IKKE!
Jeg stillede ham et ultimatum. Det første i mit liv: Hvis du rejser væk i to måneder igen, så skal du ikke komme tilbage.
Og hvad gjorde han? HAN REJSTE. Væk. I to måneder. Igen.
Nej, vil ikke mere. Gider ikke gå her og være den sure, forsmåede hausfrau de næste seksten år.

Kl. 21.48

Skal han så have Bjørg næste jul? Og en hel masse weekender? Og hverdage?
Skal jeg så ikke være der?
Hele tiden?
Er der ikke en eller anden måde, hvor han kan ha' hende, UDEN at jeg ikke har hende? Hun er så lille. Og hun er jo min, ikke?

Kl. 21.49

Han glemmer at give hende vitaminpiller. Og at klippe hendes negle. Og at putte hende med Margrethe. Han ved kraftedeme ikke engang, at den tøjhøne HEDDER Margrethe.

Kl. 22.17
Er der egentlig et offentligt kontor, man skal ringe til, når man bliver skilt?

»Goddag. Jeg ringer for at gøre opmærksom på, at jeg skal overflyttes til socialklasse 5«.

Eller: »Goddag, er det Henrik Dahl? Jeg vil gerne overflyttes fra grønt til rosa segment. Eller bare til det segment, hvor man ser *Temptation Island*, og hvor alt fremtidigt håb er knyttet til en lottokupon«.

Kl. 23.45
Hvad tid er det, flyet er her? Må være lige om lidt.

Han ringer vel fra lufthavnen.

Kl. 23.47
Skal jeg barbere ben?

Kl. 00.14
Så. Planmæssig ankomst og alting.

Godt nok mærkeligt at sidde og se sin egen skilsmisse lande live på tekst-tv.

Han ringer nok snart.

Kl. 00.34
???

Måske er hans bagage blevet væk.

Kl. 01.28
Dér.

»Det er Thomas«.

(Helt rolig i stemmen).

»Så er jeg hjemme. I Ryesgade«.

(I Ryesgade? Ringer kraftedeme HJEMMEFRA!).

»Hvordan har Bjørg det? Jeg vil meget gerne se hende i morgen, kan det lade sig gøre?«.

(HVAD MED MIG?).

»Vi har det ... eller hun har det ... I morgen ... Jamen ... joh ... det kan vel godt ... altså ... joh ... selvfølgelig«.

»Fint, så kommer jeg over i morgen aften«.
(...???)
»Du ved godt, at det er slut, ikk' Thomas ...?«.
...
Verden holder vejret.
...
»Jo. Det ved jeg godt. Sådan har jeg det også«.

Hvad?
Hvad?
HVAD?

Nej- nej- nej- nej- nej- nej- nej- neeeeeeeeeeeeej.

Verdens værste uge i tal

Tirsdag kl. 22.11
Kan ikke overskue det hér. Nogen har indført undtagelses-tilstand over hele linjen.
Forsøg på overblik over uge kræver systematisk optælling.

Søvn: 7 x 2 timer

Skilsmisser: 1

Beroligende midler:
179 cigaretter.
3 mazarinkager.
Al glædelig-jul vin fra arbejdet. (Men ingen tømmermænd.
Har barn).
23 panodiler.
12 cl. Havana Club. 2x6 cl. i hver sin slurk. Havde ikke
ginger ale. (Har ALDRIG ginger ale).
Sade: *Lovers Rock.*

Antidepressive midler:
Her kommer Pippi Langstrømpe (cd-version).

Antal gange fortrudt beslutning om skilsmisse: 600

Antal gange stået fast på beslutning om skilsmisse: 597

Ansigtstab: 3
To pr. telefon + én liveperformance. (»Jeg lover, vi bliver
lykkelige, du må bare ikke gå nu, vi har et lille barn sam-
men, måske er det bare en overgang, du kunne jo tage
noget ferie ... nej, ved du hvad? DU tager nogle billeder, og
JEG tager noget ferie ... det er jo ikke, fordi jeg ikke vil give
dig plads, kunne vi ikke prøve at finde ud af det, vi elsker
jo hinanden ... og hvad skal jeg sige på arbejdet?«).

Antal afslag: 3
To pr. telefon (til at leve med) + ét lige op i ansigtet (ubær-ligt).

Antal egne sætninger, jeg gerne ville delete: 7
1. »Dit lille infame, indskrænkede, smålige, kolde, hjerte-løse forsøg på et menneske«.
2. »Jeg elsker dig«.
3. »Du får ALDRIG mere Bjørg at se«.
4. »Vi ses i Statsamtet«.
5. »Du tager jo ikke engang særlig gode billeder«.
6. »Synes du, jeg er tyk?«.
7. »Skal vi ikke bare glemme det hele og tage i Ikea?«.

Antal sætninger fra eksmand, der burde deletes: 1
»Jeg tror ikke på det mere, Nynne«.

Antal muligheder for at omgøre beslutning om skilsmisse: 0

Antal afslag på indirekte forslag om afskedssex: 12
(Hvor ydmygende kan det blive?).

Antal afslag på direkte forslag om afskedssex: 1
(Så ydmygende kunne det blive).

Antal gange snigpasseret fotoatelier i Ryesgade: 14
til fods. Og én i bil m. 17 km/t.

Dårlig samvittighed:
På størrelse med Ohio. Fordelt m. 10 procent over for arbej-det (kommet alt, alt for sent m. ildrøde øjne og øjenlåg så tykke som skamlæber. Gået alt, alt for tidligt og har intet udrettet i mellemtiden). Og 90 procent over for Bjørg (Nyn-ne has left the building. Kun hylster tilbage, som mekanisk og ukritisk har serveret guldkorn og tændt for morgen-tv).

Anfald af optimisme: 2

1. Da jeg opdagede, at jeg kan bestemme alting selv nu.
2. Da jeg kom til at tænke på, at HAN jo i princippet også kan fortryde.

Anfald af pessimisme:
Resten af tiden.

Vil ikke:
Have det her liv.

Vil:
1. På heldagstur i Magasin.
2. En uge til Sharm el Sheikh.
3. Have bil.
4. Have karbad.
5. Have råd.
6. Have Thomas tilbage.
7. Nedfryses til minus 196 grader i jordskælvssikkert rum i Arizona, til den her skilsmisse er overstået.

Hvad så nu?

Søndag kl. 07.23
Hvad laver jeg her?

Sidder mærkeligt udsovet og morgenhævet i ansigtet. I Real Madrid-sengetøj og én af Anders' 'Om vi får løn her-ha-ha-ha' t-shirts. Er alene hjemme med cowboykaktussen Bent. Og så syv-otte af Anders' sædvanlige tomme pizzabakker.

Første weekend uden Bjørg nogensinde. Har lavet tilsyneladende rimelig ordning m. Thomas om, at jeg rykker over til Anders og han rykker ind i min lejlighed, når han skal være sammen med hende.

Kan næsten se hjem, hvis jeg kigger ud ad vinduet.

Helt bizart at sidde alene her i ungkarlehybel, når man har haft komplet familieliv 200 meter herfra.

Kan jeg ringe nu og høre, om de har det godt? Er altså mindst otte timer siden sidst.

Måske sover de. Trækker den lige en time.

Er her ikke noget at læse i?

Kl. 07.51
Hm. Ikke ligefrem Det Kgl. Bibliotek, det her. Har fundet to Formel 1-blade og en brugsanvisning t. en clockradio. Har nu læst om snooze-funktion på dansk, tysk og tjekkisk. Vil gerne hjem.

Arj, hvor vil jeg gerne hjem.

Kl. 08.19
Har været hos bageren. Sammen m. alle fædre fra hele bydelen m. kernefamiliebørn på skuldrene. Og alle singlerne på vej hjem fra fest. Falder som den eneste fuldstændigt uden for kategori. Er vel ret beset ikke single, hvis man har et barn? Nærmere familie på halvanden. Lyder bare ikke særlig fedt.

Lyder heller ikke særlig fedt at bede om ét rundstykke, én tebirkes, en lille kakaomælk og en kuvertsmør, når man er 38 år og overhovedet ikke har tømmermænd.

Kl. 08.24

Hvad er det egentlig, man laver om søndagen?

Hvor gør man af alle timerne, når man ikke skal stå og småfryse på en legeplads, tage en masse overtøj af og på og skifte andre folks bleer?

Nå. Kunne jo lave noget af alt det, jeg ikke har haft tid til i halvandet år.

Hvad er det nu lige, det er?

Jeg kunne se en film. Har nærmest ikke været i biografen siden de viste *Killing Fields*.

Hm. Har nok lukket søndag morgen.

Kunne også komme i form.

For omfattende. Orker ikke at styrte rundt nede ved søerne m. indvoldene på vej ud af munden og et aerodynamisk udtryk i ansigtet. Kan alligevel heller ikke nå at komme i form til i aften, hvor singleliv slutter.

Hvad så?

Kunne selvfølgelig spise brunch med nogen.

Hvem?

Natascha har jo Victoria. Merete har Handyman. Og Anders har gud hjælpe mig Gitte. På 28 (jeg kunne være hendes gudmor) som scorede ham på Rosie McGee's »sådan lidt hvidvinsplimmelim på en tøseaften«. Og som er ekspedient i Magasins bijouteriafdeling, går til decoupage og siger, hun bor på Østerbro. (Har i virkeligheden to-værelses på Skt. Kjelds Plads, Ryparken). Under alle omstændigheder har de været kærester i halvanden måned.

Kl. 09.03

Nå. Nu kan jeg godt ringe. Bliver faktisk nødt til det.

»Det er Nynne. Jeg ville bare lige høre, om avisen er kommet. Det gør den nemlig ikke altid. Gider du at gå ud og se, om den er kommet? ... Okay, det er virkelig godt. For hvis den ikke var kommet, ville jeg have bedt dig om at ringe til abonnementsservice, for det er ret vigtigt, man klager hver gang. Du kunne have fundet nummeret på side to i lørdagsavisen. Altså hvis den ikke var kommet ... Hvordan har I det?«.

Kl. 09.07
Det var det. De havde det vist godt.
Hvad så nu?
Kan selvfølgelig gå ned og købe en avis.

Kl. 11.13
Hvad er egentlig værst? At drukne eller at sidde i et fly, der eksploderer om lidt?

Kl. 12.10
Ville det være pænt til mig m. kort hår?

Kl. 12.16
Hvor ser ens ører egentlig mærkelige ud. Sådan nogle små, krøllede hudparaboler. Hvorfor kunne der ikke bare være et hul?

Kl. 13.25
Hvad blev der egentlig af ham dér Dan Rachlin?

Kl. 17.12
Sådan. Har brugt hele dagen på ikke at gå i bad.
Nå. Nu kommer Anders.
...
Hold da fuldstændig kæft.
Hvad er der sket?

Kl. 17.13
Okay. Rod Stewart er lige kommet ind ad døren. Formerly known as Anders. Helt skamblonderet i toppen.
Nej, hvor ser han åndssvag ud.
Tilsyneladende mange måder at bruge søndag på. Idioten har siddet en hel eftermiddag i et køkken på Skt. Kjelds Plads m. hullet badehætte, mens Gitte har lavet 'diskrete reflekser' i hans hår.
Ligner mere ét stort katastrofeblink.
Det er muligt, jeg ikke har noget liv. Men er i det mindste ikke optimist.

Og behøver heller ikke at gå m. FCK-hue de næste to måneder.

Har du opereret
hele natten?

Onsdag kl. 08.12

Hvor er de henne?

Hvor er de henne – hvor er de henne – hvor er de HEN-NE?

Hvor fanden er de nøgler?

Storker rundt mellem firs ton indbo i høje støvler og overtøj og sveder gennem nylagt foundation. Har OVER-HOVEDET ikke tid til det her. Har endevendt skrivebord, køkkenbord, spisebord, stuebord, natbord og kropsvisiteret køleskab.

De ER der ikke.

Hov.

Bjørg sad vist og legede med dem på gulvet i går, mens jeg talte i telefon med Merete.

Eller var det i forgårs?

Det var i går. Fuck. De kan være alle vegne.

»Bjørg, hvor er mors nøgler?«.

»De-di«. (Ok. Tak for hjælpen).

»Søde Bjørg. Hvor har du lagt mors nøgler?«. (For satan!).

»Bjøøørg, hvor er nøglerne, skat?«.

»Pip«.

»Det er muligt. MEN HVOR ER MORS NØGLER?«.

Bliver sindssyg. Skal til møde 8.30. SKAL simpelt hen til møde 8.30 m. ny chef m. moderne ledelsesform. Ved bare, at han sidder der sharp. M. friskpudset isse og masser af nøgler i Armani-lommen.

Kl. 08.24

Har tjekket toiletbørsteholder, kummer og afløb. Please, lad mig blive clairvoyant. Bare i tre minutter. Skal aldrig mere håne kuponhæfter m. udmærket postordretilbud på nøglering, der svarer, når man fløjter.

Kl. 08.25

Giver op. Giver fortabt. Kaster håndklædet i ringen. Smækker hoveddør og skrider. Må finde ud af senere, hvordan vi kommer ind igen. Eller købe ny lejlighed.

Kl. 08.27

Fandens. Kan simpelt hen ikke sparke cykellås op. Har til gengæld smadret tre eger og én højhælet støvle.

TAXAAAAAAAAAAAAAAAAAAAAAA!

Kl. 08.51

Landede v. Paustian mødebord 21 minutter for sent. Med dunkende tindinger og svedoverskæg.

»Godmorgen Nynne. Har du opereret hele natten?«, spurgte Nick the Dick m. sylespidst smil.

???

Så fik jeg øje på dem. Fødderne. Der stadig var pakket ind i vuggestuens blå overtræksfutter i plastik. Kors, altså. Tredje gang i denne måned, jeg farer byen rundt som forstyrret narkosesygeplejerske.

Kl. 13.03

Nogen må skride ind hér. Arbejdstilsynet, WHO eller Røde Kors. Er stormet fra møde til møde, blevet tæppebombet med e-mails, har sweettalked arrig, mager AD'er uden privatliv for at få ham til at aflevere projektudkast til tiden og foretaget meget tidskrævende fejlopkald til min mor.

(»Du må sige til, hvis jeg skal hente Bjørg, jeg kunne jo tage hende med hjem et par dage, er du sikker på, hun får nok at spise, skal jeg ikke sy en kile i hendes små sorte bukser, så kan hun SAGTENS bruge dem et år mere. Og din elkedel trænger til at blive afkalket«).

Har desuden brugt en time i telefonen m. Thomas på at aftale, hvem der har Bjørg hvornår de næste tre uger. Svært, når det føles mest rigtigt at fordele det med 21 dage til mig. Og 0 til ham.

Kl. 16.34

Styrtede ned af mortrappen (bagudgang som chefer ikke bruger) og nåede lige at se røven af skadefro 14'er svinge om hjørnet. Manglede pludselig meget ministerbil m. fartmisbruger bag rattet. Helt vildt stressende at være tvunget t. at stå stille v. busstoppested, når man burde fare Kipketer-agtigt gennem byen og lave lang opbremsning ved Spilopstuens garderobe.

»Hej Nynne«, lød det pludselig.

»Arj, hej Kelim. Jeg mener Khalid ... Khalim. Hvor er det lang (gud, hvor ser han fremmed ud) tid siden. Hvordan (ham har jeg været i SENG med!) har du det?«.

Kurder havde det godt. Var kommet tilbage fra USA for tre måneder siden. Syntes vi skulle spise middag sammen en aften. Syntes også, at jeg så fantastisk ud. Godt nok dejligt.

Og helt, helt uoverskueligt.

Kl. 18.21

Er I KLAR over, hvad en låsesmed koster?

Kl. 21.25

Står og lægger tøj sammen, mens nogen, der hedder Bush, spiller præsident på tv. Hvem har lagt to rosiner i hans ansigt, dér hvor vi andre har øjne?

Og er der nogen, der gider at række ham en Game Boy, så den krig kan blive aflyst?

Kl. 22.12

Hm. Hvem har flyttet fastelavn over i marts?

Og hvad skal man klæde halvandenårig ud som?

Pelé?

Seriehader mødre, der lige smækker kostume sammen af stof og perler og pangfarver, de alligevel har liggende i stor, dyr kurv.

Får lyst til at sy fem tryklåse i munden på dem, så man i det mindste kan blive fri for at høre, hvor nemt det er.

Kl. 01.47

Hov. Har vist sovet lidt. Missede *60 Minutes,* men har til gengæld komplet kelimpudemønster i hele venstre side af ansigtet. (Går måske væk med skintonic).

Bonusinfo: Trykkede på videoens eject-knap. Ud skød ikke *Pingo på skoleudflugt,* men nøglebundt. Blev sgu helt rørt. Var lige ved at invitere dem på en kop te.

Gælder det her for en dag?

MARTS

KOM SÅ, Henning!

Lørdag kl. 12.10
Ved det godt. Læner mig op ad polititilhold.

Må prøve at lade være med at tage herud næste lørdag. Vågnede i morges og måtte bare af sted igen. Så mig selv dybt i øjnene og lovede, at det var mit sidste svenske møbelfix. Ikke flere afgange til Ikea i dette kvartal. Begyndte as usual som overskudsforretning. Startede m. at trække nummer i returafdelingen og fik fire glatte hundredkronesedler udleveret mod at aflevere sidste uges fejlkøb. (To pudebetræk, køkkenskammel og stofreol, der alligevel ikke fik mit liv til at go cubic).

Står nu i forhallen og burde virkelig dreje til venstre. Ud ad glasdørene og hjem. M. 400 kroner i tasken som fin start på reparation af gigantisk underskud på privat betalingsbalance.

Kl. 12.14
Vent lige. Mangler sådan set stearinlys.

Snupper lige en vogn.

Kl. 13.14
Åhh, nej.

Er gået galt.

Igen.

Har nu spenderet en time i Ikeas 100-værelses lejlighed, hvor alting passer sammen på den naturfarvede måde. Og er igen hoppet på løgnen om, at hvis bare jeg køber fem-seks stykker tilbehør, så forvandler hele mit liv sig til et sted, hvor alt (inkl. uspecificerede neuroser og psykiske ubalancer) kan pakkes væk i lækre kurve og smarte papreoler. Jamen SELVFØLGELIG kan et garderobeskab på halvanden meter laves om t. både spisekøkken, minikontor, fællesstue og gæsteværelse. Ifølge kataloget gælder det bare om »at tænke kubisk i stedet for kun at tænke gulv, gulv, gulv«. (Er overbevist om, at ingen af Ikeas bagmænd

39

bor på 65 kvadratmeter. Er faktisk sikker på, at de altid tænker gulv, gulv, gulv. Fordi de har 400 kvadratmeter af det. Hver).

Kl. 13.21

Så ringede mobiltelefonen. Sank svedende ned i treperson-ers Karlandasofa. Det var Thomas. Freelance fotograf, eks-mand og årsagen til, at jeg er i Ikea. Igen. Han kørte til Fyn i går med Bjørg for at besøge sine forældre.

»Jeg vil bare sige, at vi kom godt herover. Bjørg er glad. Hvor er du henne?«.

Tænke, tænke, tænke.

»Jeg er på Charlottenborg. Med ... én. Vi har købt ... katalog«.

»Nå, okay. Men så vil jeg ikke forstyrre. Ringer du og siger godnat til Bjørg?«.

Av.

Savner pludselig at være i 180x200 fasen. Ikke særlig blæ-ret at skulle indrette 90x200 singleliv. Igen.

Synes pludselig, at de er overalt. En tyk sværm af rede-byggere på Ikeas stisystem. Store, dominerende, kortklip-pede kvinder i ottende måned m. små blyanter og lange tjeklister. Og i deres kølvand tynde mænd m. orden i øko-nomien, der har fået lov at komme med mor i byen. »KOM SÅ, Henning. Vi skal også have nogle knager. Og et pusle-bord. Har du tænkt dig, at hun skal skiftes på gulvet?«.

...

Løb, Henning. Løb.

Kl. 13.45

Hm. Ved egentlig godt, at jeg ikke har råd t. helt Ikeamiljø. Og at man ikke kan have komplet stue med i bus 184.

Ned i trøsteafdelingen i en fart. Meget bedre. Allerede i køkkenudstyr glider 12 glas ubemærket ned i kurven sam-men med tre vakuumpakkede skærebrætter, fire sakse, 50 stearinlys, en pizzakniv, hvide stofpersienner til alle rum (de koster jo ikke en skid) og tre ruller indpakningspapir. Header mod tekstilafdelingen, langer ud efter tre hvide lagner (de koster jo ikke en skid), snupper også lige 12-15 rammer, en natlampe, en vasketøjskurv og et par blyantsholdere.

Kl. 14.23
Tog hvil i kurveafdelingen, da mobiltelefon ringede. Det var Anders. Og alle hans lyse striber. »Hej Nynne. Jeg har hørt din besked, men jeg kan ikke i aften«. Jesus C. Han skulle i teatret. Nørrebros Teater. M. Gitte og hendes forældre. Og se *Spindoctor*. Med Flemming Jensen. Kunne heller ikke nå at drikke kaffe i eftermiddag. Havde lovet at hente similieksperten i Magasins bijouteriafdeling, når hun får fri. Eller rettere: Havde vist bare fået besked på at stå ret på Bremerholm kl. 16.00.

Kl. 15.10
Sejr. Slap gennem lagerafdelingen uden at række ud efter hverken sofagruppe eller boxmadras. Står nu i kø v. kassen sammen m. resten af Storkøbenhavn. Begynder at få en mistanke om, hvad der er på vej. Fire glatte hundredkronesedler er vist ikke helt nok.

Kl. 15.43
Okay. Har sådan set købt for 2.200 kroner laminat, kludetæpper og opbevaringskasser. Igen. Det kan jo ikke være i bussen, for helvede. Må stille mig ud i parkeringshuset og prøve at blaffe. Eller snige mig ind i en stationcar.
Glem det.
TAXAAAAAAAAAAAAAAAAAAAAAAAAA!

Kl. 18.12
Er fuldstændig udmattet af forbrug. Og har hel palle Ikeaitems stående midt på stuegulv, som ikke kan presses ind nogen steder. Gider heller ikke rigtig at pakke det ud.
Savner Bjørg.
Savner freelance-fotograf.
Skal nu hugge med mig selv om, hvad jeg skal bruge min lørdag aften til:

1. 16 timers søvn i streg.
2. Tre timers minutiøs analyse af skilsmisse i telefonen m. Natascha. (»Det duer jo heller ikke at ... han rejser jo hele tiden til ... og jeg kan blive så rasende over ... på den anden side kunne jeg måske ... hvis han altså havde ... men det GØR han jo ikke ... desuden gider jeg ikke ... og jeg er SÅ træt af at ... åhh, hvor er det svært ... og jeg er også bange for, at Bjørg ... det var jo ikke det, der var meningen, vel ...«).
3. Leje fire videofilm. (Nix. Udgået af konkurrencen. Orker ikke at gå nogen steder).
4. Gå i seng m. en hel uges ulæste aviser. Og mobiltelefonen. Og en Ritter Sport. Uden at børste tænder. Kan eventuelt hæve stemningen m. bloklys fra Ikea.
5. Ringe til L'EASY og bede om akutophængning af 14 tommers-tv på væg i soveværelset.

Kl. 18.15
Hugger nu.

Kl. 18.17
Forslag 4 og 5 nåede finalerunden.
  4 vandt. L'EASY havde lukket.

Svup!

Lørdag
Dagens optur:
Er blevet fotograferet.

Dagens nedtur:
I fartfælde.

Søndag
Dagens optur:
Lykkedes at få Bjørg i Superman-kostume uden brug af benlås. Så SÅ sød ud. Slog mig t. Storkøbenhavns sidste dragt MED kappe lige inden lukketid i Toys'R'Us i går. (Selv om det altså muligvis kostede mig kørekortet. Overvejer at ringe ind og klage til Lars E. Christiansen, hvis han stadig findes. Faktisk farligt at knalde blitz af i hovedet på folk på afkørsel fra motorvej, når man kører 140 km/t.).

Dagens nedtur:
Har tabt i Lotto. Igen. Hvorfor er det, at ældre mænd fra Gørlev ustandselig vinder 13 millioner, de ikke har brug for? Og højst overvejer at købe en ny undermund. Eller male skabslågerne i køkkenet i en frisk farve.
Altså. Burde tvangsfjerne de resterende 12.880.000 kroner og sætte dem i pleje hos enlig mor m. trang til byggeforeningshus. Og nye fuck me-støvler fra Free Lance.

Mandag
Dagens optur:
Kelim har ringet.
Har faktisk ringet. Som om jeg var én, man kunne invitere ud.
Har måske liv. Ret opløftende tanke. Kunne vel godt gå ud at spise med ham? På den anden side flere point i at få opmærksomhed fra splinterny mand, som kun har kendt én i ti minutter. Og som ikke ved, hvordan ens bryster ser ud, når man ligger på siden.

Dagens nedtur:
Omfattende. Prøvede at starte ugen m. aromatisk aften-
bad. Tændte stearinlys i hele badeværelset og blandede
vandet op m. æteriske olier (sendt m. opmuntrende brev
fra Bente i Slagelse). Forsøgte så at få 62 kg menneske fol-
det sammen til noget, der kunne være i Bjørgs badebalje.
Gik dårligt. Sad bare underligt klemt sammen i lodret fo-
sterstilling – helt tør på knæ og skuldre.

Droppede projektet. Ville op. Men krop ville ikke med.
Troede det var løgn. Sad faktisk fast. Var på en eller anden
måde lykkedes mig at få skabt undertryk i baljen. Ved
hjælp af masser af legemsdele, vand og olier. Var fandeme
lige v. at begynde at græde. Besluttede at lade være med at
gå i panik. Prøvede at lave vejrtrækningsøvelser på den
fødselsforberedende måde. Ind gennem næsen og så uuu-
uud gennem munden.

Gik i panik. Møvede hysterisk rundt i baljen som lang-
tidsparkeret spastiker. Og så – pludselig – slap kroppen
karret med Nordeuropas største SVUP.

Landede på gulvet. I bar røv og med glidecreme over
hele kroppen.

Jeg vil ikke mere.

Tirsdag
Dagens optur:
Ny leverance af Red Bull. Anders, min yndlingspusher, har
været i Sverige t. ishockey. Og forlod landet udstoppet m.
ulovlige røde dåser energidrik. Har nu fyldt begge grønt-
sagsskuffer i køleskab m. svenske stoffer.

Dagens nedtur:
Anders skal ikke til ishockey igen før midten af april. Hvor-
dan fanden får jeg 24 dåser opkvik til at holde til MIDTEN
af april? I øvrigt virkelig strengt, at man skal kriminaliseres
for at holde sig vågen og nogenlunde fungerende i skilsmis-
seramt liv. Burde kunne få Red B. udleveret i Statsamtet
eller hos Frelsens Hær som del af survival kit. Har sgu brug

for de ulovlige vitaminer. Har ikke fået et eneste stykke sprøjtet frugt i fjorten dage.

Onsdag
Dagens optur:
Yankie Bar.

Dagens nedtur:
Drikkeyoghurt.

Torsdag
Dagens optur:
Jeg er ligeglad. Jeg SKAL se det.

Dagens nedtur:
Big Brother VIP my ass. 12 psykisk syge i et spabad. Kan de ikke bare beholde dem derinde? I et år. Uden at sende en lyd derfra. Hvor ville der blive dejligt herude uden Bashy, Kira og Moses Hansen. (Synes, jeg har set ham før. Har han ikke engang været med i en Marx Brothers-film?).

Fredag
Dagens optur:
Natteliv findes. Hver anden weekend. Skal møde Natascha og en hel masse af hendes kolleger på Bibendum i aften.

Dagens nedtur:
Natascha arbejder i Justitsministeriet.

To baner mascara
og en Bloody Mary

Lørdag kl. 11.27
Har fået sex. Og har kastet op.

Kl. 11.29
Må man det?

Altså have sex med nogen? Når man dårlig nok er blevet skilt? Føler mig så utro. Både over for Thomas og Bjørg.

Vågnede på Sankt Jakobs Plads for et par timer siden m. papegøjetunge og dundrende hovedpine. Under ukendt hvid dyne. Ved siden af helt, helt fremmed mand. M. en masse fremmed hud. Og hår. Bare ikke på hovedet. (Undskyld, men er alle skaldede på *Dagen*-måden these days?).

Havde meget lyst til halvanden liter vand. Og til at få svar på de to vigtigste spørgsmål i hele universet:

Hvor er mine trusser?

Og hvordan får jeg fat i dem, uden at nogen ser mig nøgen?

Kunne ikke svare på nogen af dem. Så prøvede at stille ét i en anden kategori:

Hvad havde jeg tænkt mig? Hvad i alverden var det lige, jeg havde TÆNKT mig?

Og så et brunt ostespørgsmål:

Findes der en måde, jeg kan komme ud af den her lejlighed på uden at have været her?

Nåede ikke at svare, før Dagen begyndte at røre på sig, lagde to store arme rundt om mig bagfra og sagde: »Mmmmm«, på 'jeg-er-en-rå-og-varm-fyr'- måden. (Havde det selv mest på 'puhhhh'-måden).

Opdagede, at han havde en 'måske-har-jeg-en motorcykel-men-jeg-er-ikke-rocker' ring på venstre langfinger. I forslået sølv.

»Hvordan vil du have dine æg, søde?«, spurgte han. (Anede ikke, jeg havde nogen æg hér).

Så rejste han sig. I fuld størrelse. Og tog et par japanske fighter-bukser på. Forsvandt ud i køkkenet, hvor han begyndte at skramle rundt m. alt muligt. Snart stank hele lejligheden af kaffe og loungemusik.

Gik febrilsk i gang med at lede efter mit tøj. Ville hjem. Ville virkelig gerne hjem. (Hvorfor ligner blæret aftendress altid nusset klæ'-ud-tøj næste morgen?).

Var nået et godt stykke ned i nylonstrømperne, da han dukkede op og stak et kolossalt hvidt håndklæde ind ad døren.

»Hér. Skal du også have et til håret?«.

Var nødt til at gå i bad. Fandt døren t. vådrum. Hvor der var monteret endnu et sæt små infame højttalere m. loungemusik. Klippede i fantasien ledningerne over m. en neglesaks og vaklede ind under bruseren. Overværet af et helt batteri aftershave og deodoranter fra den slags reklamer, hvor mænd har vide bukser og bare tæer.

Forsøgte at undgå syndflod af vand lige ned i knolden. Ville ikke have vådt hår hér. Alt, alt for intimt.

Følte mig som gammel, våd cockerspaniel, da jeg trådte lige ud i et eksemplar af *Hip Hotels*, der lå på gulvet. Fik lyst til at ryste mig ud over alle hans italienske klinker. Nøjedes med at tørre to baner mascara af i håndklæderne.

Tørrede spejlet af m. flad hånd. Og fik øje på one-night stand, jeg ikke engang selv havde lyst til at vågne op ved siden af.

Jesus C. Lignede opløst treo i hovedet.

Nå. Havde tilsyneladende brunch-aftale ude i køkkenet. Med storfløjtende vist nok producer på et eller andet selskab. Havde glemt, om det var film, plader eller vatrondeller. Og opgav at spole tilbage for at finde informationen. Måtte bruge al ledig kapacitet på ikke at besvime.

»Drik det her. Du får det fantastisk bagefter«, sagde Dagen.

Stod face to face med stor, rød Bloody Mary m. klam bladselleri monteret i midten. Prøvede at undvige.

»Jeg tror ikke rigtigt ...«.

Men der var ingen vej uden om. Måtte bare få det overstået. Lagde hovedet tilbage, lukkede øjnene og bundede. Tabascoen sved i øjnene og sang i ørerne. Kunne mærke alle mine indvolde på én gang. Og de var på vej op. Fik bakset dem på plads igen. Men fik så øje på giga platte, der svømmede i røget laks, røræg og bacon.

»Jeg har kommet trøffelolie i æggene. Det er SÅ godt«, meddelte Dagen.

Røg op fra stolen. Gennem køkkenet. Ud i badeværelset igen. Og sendte store røde kaskader ned i fajancen.

Lød ikke særlig lounge. Greb mit overtøj og undskyldte, at jeg ikke kunne være del af hans Bo Bedre-arrangement. Ned ad trappen.

Hjem, hjem, hjem.

Kl. 15.12

Nå. Men har trods alt fået sex. Meget fedt at kunne ringe til alle i omgangskreds og fortælle det.

Men vil aldrig mere på Leopolds. Vil aldrig mere drikke 15 vodka-tonic i døgnet. Vil aldrig mere stå i bar og råbe »Er der nogle friske mænd ved disken« og tro, det er skidesjovt. Vil aldrig mere kysses på halsen af skaldet blærerøv offentligt. Vil aldrig mere dele taxa m. nogen. Eller tro, det er cool at have sex i Corbusier-læderliggestol.

Vil adopteres af sund familie.

Du skal klappe,
hvis du er i godt humør

Mandag
Hm. Dagen har ikke ringet. Irriterende. Ville være dejligt, hvis han gjorde. Så jeg kunne give ham SÅDAN en afvisning.

Tirsdag
Kan dyr egentlig få mongolbørn?

Onsdag kl. 18.40
Fuck, altså. Har fået ekstra varmeregning. Skal stille og roligt indbetale 6-3-0-0 kroner, som jeg slet ikke har fået noget for.

Ekstra varmeregning, helt ærligt. Som om vi har gået rundt i bastskørter og 42 graders varme hele vinteren. Har faktisk været så skide fodkoldt, at vi ikke har haft bare tæer siden september.

Kl. 18.46
Hvor i alverden skal jeg skaffe 6.300 kroner fra?

Har en del tomme flasker, og en check på 316 kroner fra 'danmark'.

Fantastisk.

Så mangler jeg bare 5.900.

Kl. 19.13
Nægter at tale m. min bankrådgiver. Den uneurotiske, glatte skiderik. SÅ ydmygende at skulle diskutere sin privatøkonomi m. én, der lige er gået ud af 2.g.

Kl. 19.26
Hvor meget mon der står på Bjørgs børneopsparing?

Kl. 19. 41

Gid man fik et gyldent håndtryk, når man blev skilt.

Kl. 20.37

Kan jeg få et bijob?

Næhh. Hvornår på døgnet skulle jeg lige have det?

Kl. 20.41

Kunne man blive foredragsholder? Natascha er sgu da i et eller andet bureau, som sender hende ud i nogle foreninger, hvor hun siger noget om EU og får kassen for det.

Hvad er det nu, det hedder? ... ArtPeople, vist nok.

Går lige på nettet.

Kl. 21.53

Hold kæft, hvor er de mange. Der må virkelig være penge i det.

Én lang mærkelig række af Christine Antorini, Diana Benneweis, Ib Michael, Jesper Theilgaard og Jørgen de Mylius. (De må holde et brag af en julefrokost ...).

Mylle ryster riget m. foredraget *Hollywood på godt og ondt – med personlige anekdoter og lysbilleder*. Kunne måske udkonkurrere ham med *Mit Husum – med personlige traumer og røntgenbilleder*.

Arj. Må nok hellere lave mit helt eget.

Hm. Hvad kan jeg egentlig fængsle en forsamling med?

Katalog over mulige foredragstitler:

Barn af en nar (Eller to'eren: *Barn med en nar*)

Ned igen i en fart

Ind og ud af Ribers

Kikset sex på 54 måder – illustreret

Kvinde skjul din krop

115 måder at tage opmærksomhed fra andre

Telefonterror – 13 tips

På halv tid med fuld løn

40 fejlkøb – en byvandring i det indre København

Ondt i røven – hele året

Ferie det forkerte sted – nu m. kort
Underskud for hele familien
Ud af form på tre dage
Overspringshandlinger – en hel aften m. øvelser

Kl. 21.57
Well. Må nok bare tage et lån.

Torsdag kl. 07.08
Det er løgn. Bush er begyndt at bombe. Og her har man bare ligget og sovet imens. Som om man var ligeglad. Tænder lige for fjernsynet.

Kl. 07.23
Okay. Så er hele det elektroniske katastrofeberedskab på arbejde igen. Fjernsynets Operative Kommando. Steffen Kretz, Jes Dorph, Steffen Gram og hele udenrigsafdelingen af Københavns Universitet.

Og her sidder jeg. Som en anden katastrofejunkie i nattøj m. mysli og søvn i øjnene og zapper rundt i krigen. Og undlader at stille spørgsmålet om, hvorvidt jeg sidder her, fordi jeg i det mindste skylder situationen at være velorienteret. Eller fordi jeg bare ikke kan få nok.

Kl. 07.24
Hvad skal jeg mene om det her? Hvad fanden skal jeg lige mene om det her? Nu er det jo for sent bare at mene, at der ikke skal være krig.

Kl. 07.26
Hov. Hvem er ham dér?
Lektor Peter Viggo Jacobsen.
Han er pæn.

Kl. 09.18
Åhh, nej. Er helt vildt sent på den. Kom lige til at fixe to timers tv. Mens Bjørg smurte 50 legoklodser ind i syltetøj.

Nå, må på arbejde. Har kvalt CNN, for som de siger: »Now you don't have to follow the news. The news follows you«.

Kl. 10.12
Stærkt beroligende at komme ind på Spilopstuen, hvor feltråbet er på noder og lyder: »Du skal klappe, hvis du er i godt humør«. Blev der til hele morgensamlingen. Glæder mig allerede til at hente hende igen.

Go-SÅ-nat!

Onsdag

Yes. Er så tæt på, at jeg kan se målet herfra.

Bjørg skal i seng om ti minutter. Og klokken er kun 19.20. Har for en gangs skyld tid t. at udføre kvalitetsputning.

Med oplæsning af alle *Ludvig*-bøgerne og mere end ét vers i godnatsangen.

Føler mig rig. Har nærmest hel aften til rådighed til at komme på niveau m. alt. Skal læse hele avisen – også 1. sektion – besvare e-mail, tjekke krigen på CNN og BBC, se *Temptation Island*, læse *Nordkraft* og *Boghandleren i Kabul*, tage fodbad, ordne negle, sætte halvandet års fotos i album og flytte om i stuen.

Kl. 20.01

»... det er mig, siger Ludvig. Og så vinker de begge to farvel«.

»Så, nu er bogen slut, Bjørg. Kan du sove rigtig godt. Hér er Margrethe, hun er også rigtig træt. Luk så øjnene begge to«.

Kl. 20.03

»Ja, det er rigtigt, Margrethe er en høne. Bok-bok. Luk så øjnene, Bjørg«.

Kl. 20.13

»Luk øjnene«.

Kl. 20.20

»Det er mørkt udenfor, Bjørg. Og alle børn sover. (Løgn). Nu skal du også lægge dig til at sove. Godnat«.

Kl. 20.37

»Go-nu-nat«.

Kl. 20.43
»Go-SÅ-nat, Bjørg«. (Egner mig ikke til det her. Har fået
udleveret helt forkert temperament).

Kl. 20.57
»Hvis jeg skal ligge herinde, så skal du altså lukke øjnene,
skat«.

Kl. 20.58
»NU«.

Kl. 21.12
»Bjørg, altså. Læg dig så ned«. (Tag over, en eller anden.
Pleeaase. Kunne det barn ikke have valgt en anden far. Én,
som kunne ligge hér. I stedet for at skride til Mellemøsten
og prøve at skildre noget krig i poetisk sort-hvid).

Kl. 21.20
»Sov så. Nu går mor altså ud om et øjeblik« (... som et lys).

Kl. 21.39
»Nu går mor ind i stuen lidt. Men jeg kommer igen. Læg
dig så ned og sov«. (Hun skal jo også lære at falde i søvn
selv. Faktisk vigtigt m. klare meldinger til børn).

Kl. 21.40
For helvede, altså.
»Bjøø-øørg. Der er ikke noget at græde for. Jeg er lige herin-
de. Godnat«. (Helt ærligt. Hvor længe har de ladet hende
sove nede i den dér vuggestue?).

Kl. 21.41
Jeg går ikke derind.

Kl. 21.42
»Hvad ER det, du er så ked af? Nå, men så lægger jeg mig
lidt her, men så skal du altså også lukke øjnene«. (Und-
skyld, men hvad er det, jeg gør forkert? Hvad? Bare sig det.

Victoria sover altid kl. 19.30 sharp. Og så sidder Natascha og lægger justitsstrategier og taler privat m. ministeren hele aftenen over telefonen).

Kl. 21.51
»Hvad?«
»Hvad er vådt? ... Hvor er din sutteflaske? ... Nej, der er ikke noget, der er vådt her. Du skal bare sove«.

Kl. 21.55
»HER ER IKKE EN SKID VÅDT, SOV SÅ«.

Kl. 22.01
»Jeg går ud, hvis du ikke lukker øjnene. Jeg går altså ud, Bjørg ... Godt, så går jeg ud!«.

Kl. 22.03
Nå. Nu blev der stille.
Arj, hvad er nu det? Mit ene bukseben er helt gennemblødt.
Det er løgn. Konen har ret. Der ER vådt. Åhhh, nej. Bare hun ikke har pisset i hele sengen.

Kl. 22.05
»Undskyld, skat. Jeg havde ikke opdaget, at du havde tisset. Prøv lige at rykke dig lidt, så jeg kan få lagnet af ... NEJ, læg dig ned ... Så. Nu får du lige en tør ble ... Nej, vi skal ikke synge nu. Mor er slet ikke i humør til at synge ... Du skal også lige have noget tørt nattøj på. Stå stille«.
...
»Stå STILLE ... Så, læg dig så ned igen. Nu er du tør. Godnat, søde ... Ja, jeg skal nok blive liggende lidt«.

Kl. 22.10
Neeeeiij. Hvem fanden ringer på det her tidspunkt?
»Ja, HALLO!«.
»Hej Bente ... Nej ... Hvad? ... Hvad for noget? ... Nej, det har jeg ikke prøvet. Jeg er heller ikke sikker på, at stentera-

pi lige er mig«. (Medmindre det går ud på at kaste dem efter nogen).

»Men Bente – BJØRG, VÆR NU STILLE, JEG KOMMER OM TO SEKUNDER – jeg er lige ved at putte Bjørg. Gider du ikke at ringe igen om en time?«.

Kl. 22.14
»Så. Lille skat. Giv nu op for helvede. Og luk øjnene«.

Kl. 22.17
»Sov, ikke. Mor er så træt«.

Kl. 21.21
»Sov nu«. (Ikke blive sur, ikke blive sur, ikke blive sur, det hjælper ikke noget, ikke blive sur, fornøjelsen er så kort, får bare selvhad bagefter).

...
»SOV SÅ FOR SATAN«.

Kl. 22.26
»Åhhhhhh, altså. Nu lægger jeg mig ned her, og så lukker vi begge to øjnene«.

Kl. 01.22
Hrrmf. Hvad er klokken?

Neeeeeej, ikke så mange! Ikke igen!

Er simpelt hen så træt af at vågne helt skæv og sammen-klappet i Junoseng og opdage, at nogen har scoret min aften.

Hvad kan jeg nå nu?

Kan ikke engang betale sig at børste tænder.

Og hvem kan jeg ringe til på det her tidspunkt?

Kl. 04.15
Nå. Nåede ikke *Nordkraft*. Men har taget fodbad og skim-met lidt BBC.

Fik heller ikke sat fotos i album. Men har købt otte spise-bordsstole på nettet.

Testede også lige min risiko for diabetes og fik beregnet mit BMI-tal på Netdoktor. Har tilsyneladende fint liv. Det skal sgu fejres. Tror lige jeg tager en sjus.

Og anden halvdel af min nattesøvn.

APRIL

Familien Fake m. tæppe og madkurv

Piiiiip!

Mandag kl. 22.09
Hm. Er INTET i fjernsynet. Og er for smadret t. at foretage mig noget fornuftigt.

Laver lige et par lister.

Fyringsrunde blandt:
1. Mænd, der er vagter i Matas.
2. Mænd m. røde kinder.
3. Enlige kvinder m. kat.
4. Kvinder, der siger »VED du hvad du skulle ta'
   og prøve ...«.
5. Mænd, der siger: »Hvad kunne du tænke dig?« før eller
   midt i sex. (Faktisk også lillebitte fyringsrunde blandt
   meget velopdragne kærester, der ikke tror på, at sex kan
   overstås på seks minutter og være ok, selv om det kun er
   dem, der kommer).
6. Mænd, der fører Dankort-regnskab.
7. Kvinder, der spiser riskiks.
8. Mænd m. meget Montana.
9. Kvinder m. påklædning, der matcher.
10. Mænd, der reder sig.

Ting, der er rigtig, rigtig ok:
1. Irmas Bearnaisesauce på dåse.
2. Mail fra gl. kærester.
3. Kuvertblommer i madeira. (I hvert fald den første).
4. Dårligt vejr i weekender. (Så man slipper for at komme
   ud).
5. Fodbad. (Især hvis man har husket håndklæde).
6. Love Shop.
7. Mænds brystkasser. (Nogle mænds brystkasser).
8. www.komogvind.dk.
9. Nattøj.
10. Og sokker.

11. At snyde for at betale for plastikposerne i Brugsen.
12. At kunne korrekse mænd om detaljer i Irakkrigen.

Heldigvis – og desværre:
1. Findes penge.
2. Findes mænd.
3. Vænner man sig til at aflevere barn i daginstitution.

Tirsdag
Er det kikset at købe en kolonihave?

Torsdag kl. 21.12
Ærlig talt, altså. Kunne han lige få krænget den skudsikre vest af, inden han begynder at kræve ind?
10 dage i påsken.
10 dage!
Er han blevet FULDSTÆNDIG sindssyg?
Man kan da ikke bare skride til Mellemøsten i ugevis, og så lige lege jeg-sætter-alt-til-side-for-mit-barn far ved højtiderne.
Og hvad skal jeg i øvrigt lave i fem stive helligdage?
Spille Risk?
Alene?
Kan måske få Anders til at gemme en masse chokoladeæg nede i gården, så jeg kan bruge et par døgn på at rende rundt og lede efter dem.
Kan selvfølgelig også bare drikke mig stiv, male mig galopperende gul i hele ansigtet og liste rundt i opgangene og råbe PIIIIP ind ad brevsprækkerne.

Kl. 21.49
Får sgu snart hemmeligt nummer.
Nu var det flyverdragten, jeg lige skulle huske at give hende med i weekenden. Hvorfor? Fordi de skulle i skoven? Nej. Fordi de skulle på legeplads? Nej. Fordi de skulle i Zoologisk Have? Nej.
De skulle til Sverige. Over broen? Nej. Med færgen fra Helsingør? Nej. Med toget? Nej. I SPEEDBÅD!

Hans åndssvage 'jeg-er-42-år-og-ikke-bange-for-noget-andet-end-at-binde-mig'-ven Uffe har føjet en speedbåd til maskinparken. Og den skal Thomas og Bjørg selvfølgelig være med til at indvie. Med en milliard knob i timen, 80 sekundmeter vind lige ind i masken og snot stående ud af alle huller.

Hvorfor kan han ikke bare være sammen med hende? Hvorfor kan han egentlig ikke bare være helt almindeligt sammen med hende? Hun er for lille til alt det dér. Hvad er det lige, han prøver at uddanne hende til? De har sgu da ikke brug for halvanden-årige i frømandskorpset.

Nå. Kan ikke gøre noget som helst. Andet end at hæve stemmen. Så han kan afvise mig. Og sige, at jeg skal lade være med at være så pylret.

Kl. 21.55
Så.

Det er han fandeme selv ude om.

Greb lige 40 af narrens efterladte film i køleskabets grøntsagsskuffe og sendte dem i høj fart ned gennem affaldsskakten. Den visse død for celluloidskabninger.

Føles godt.

Kl. 21.56
Føles rigtig, rigtig godt.

Kl. 21.58
...

Kl. 22.01
Hvad nu, hvis der var billeder af Bjørg på nogle af dem?

Kl. 22.39
Godt nok heldigt, at der ikke er et filmhold, der følger én.

Måtte snige mig ned i kælderen m. plastikpose fra Illum om højre hånd og rode rundt i affaldscontainer mellem to kubikmeter pizzabakker, kaffegrums, lortebleer og risretter for at finde de fucking film igen.

Reddede 27.

Har skyllet dem under håndbruseren og lagt dem til tørre i vindueskarmen. Bare de ikke begynder at spire.

Fredag kl. 03.25

SKAL hun virkelig være en del af mit liv? Og af Anders'?

Har været ude at spise m. Natascha, Anders og Similieksperten. Og i tre en halv time set hende børste imaginære krummer af hans tøj og sige »vi« i én uendelighed.

Om ti minutter bor han på en koteletgrund i udkanten af Vallensbæk m. havestøvsuger og Formica-køkken.

Heldigvis gik de hjem allerede kl. 23. (Skulle tidligt op og købe maling til Anders' lejlighed. Turde ikke spørge hvilken farve, hun havde valgt).

Tog ni kvarter på ølbaren i Elmegade at fordøje hende sammen m. Natascha. Vaklede bagefter ned mod Sankt Hans Torv, men nåede ikke Pussy G. inden lukketid. Tog et blødt højresving ned ad Sankt Hans Gade. Og endnu ét ind på dagplejemødrenes legeplads ved søerne. Skruede os ned i to bildæk og gyngede vildt, indtil jeg pissede i bukserne af grin og en eller anden sparkede et køkkenvindue op og råbte: »Hold så måååååån, skide kællinger«.

Listede af i god ro og orden. På den våde måde.

Hjemme lå besked på telefonsvareren. Havde selvfølgelig glemt at give ham flyverdragten med. Måske lidt med vilje. Nytter jo ikke noget. Hun kommer af sted alligevel. På Øresund i t-shirt og vindjakke. Sender den ud m. et grønt bud i morgen tidlig.

På hans regning.

K(æ)rlig kvinde søges

Onsdag

Nu er det sgu nok.

Har brugt halv eftermiddag på at indgyde Anders civil courage til at genetablere sit hjem.

Ringede egentlig bare for at spørge, om han gad passe Bjørg en halv time, så jeg kunne storhandle i ISO i fred. Fik underlig, beklemt udgave af ellers kæphøj onkel A i røret. Kunne godt mærke, at dér skulle vi ikke komme forbi.

Så det gjorde vi.

Kors. I røven.

Der var gult. Over det hele. Ikke bare gult. Men GULT. Similieksperten havde været alle vegne m. sin store svamp. 11 år for sent. Nu mangler der bare et par olielamper m. synlig væge, nogle inkapuder og en koboltblå sofa. Så er 1990-oplevelsen komplet. Og Anders absolut deleted fra eget univers.

Tvang ham til at hænge to kæmpe formel-1-plakater og en pin-up-kalender op i stuen med vi-giver-aldrig-slip klæbepuder. Og gav ham en ordentlig skideballe.

Først lyse striber i håret, så i Nørrebros Teater m. svigerforældrene. Og nu svampegult i hele hytten. Har vel for helvede stadig en personlighed selv. Ellers må han se at få én, mens fru Anders er på tøsetur i Tyskland for at se Chippendales.

Chippendales. Christ, altså.

Torsdag kl. 21.50

Keder mig.

Kl. 22.13

Har lavet nikotin- og depressionstest på Netdoktor.

Gider ikke rigtig tale om resultatet.

Kl. 22.14

Bør rydde op. Opbevarer dårlig samvittighed i meterhøje stabler på skrivebord: Tandlægeindkaldelser, årsplan fra

vuggestuen, selvangivelser, 'nu er det tid til kontaktlinse-
kontrol', kontoudtog, pensionsoversigter (må gerne smi-
des ud, når man er under 40 år), uåbnede kuverter fra Di-
ners, tilbud om bredbånd, forskudsopgørelse, el-aflæs-
ning, lønsedler og hvad ved jeg.

Gider ikke. Skal alligevel have orlov for at komme til
bunds i dem.

Hvis der er nogen, der virkelig vil én noget, sender de vel
en rykker.

...

Tager lige en runde på www.

Kl. 22.19
Hm.
Jeg er jo ikke sådan én, der finder kæreste på nettet.

Kl. 22.20
Hvem er det egentlig, der er derinde? På det dér
dating.dk?
Ud over Thomas Eje?

Kl. 22.21
Kigger lige.

Kl. 22.22
Hov. De vil have, jeg skal oprette profil, før jeg får lov at
lure.

Køn? Højde? Kropsbygning? Øjenfarve? Partnerstatus?
Jobtype? Stjernetegn? Musiksmag? Hobby? Alder? Vægt?
Bopæl? Hårfarve? Børn? Ryger? Uddannelse?

...

Sig mig engang, er det PET eller hvad?

Nå. Ingen grund til panik. Bestemmer jo selv, hvordan
jeg er. Det vil sige et par centimeter højere, nogle kilo lette-
re og et par år yngre.

Årh, nej. »Beskriv dig selv med dine egne ord«.

Godt så.

»Smuk, sjov, klog. I lige uger. Hidsig i resten«.

Done. Så ind og glo. Efter mand i hovedstadsområdet. I 34-44-års alderen (mit nye, høje, tynde jeg er fleksibelt). Med videregående uddannelse. Og max. 90 kilo.

Søge, søge, søge.

Jesus C.

114 mænd lige i synet.

Tager dem fra en ende af.

»Jeg er en mand – ikke uærlig, fordrukken eller på anden måde afvigende«. Det var synd.

Videre.

Så er der »Indre by kalder«. Der »danser hurtigere end lyset« og har »kraftigt, vandafvisende hår på hovedet«. (Hvorfor skriver man sådan noget?). Nå. Ligner myg på foto.

Videre.

»Postnummer 2100. Festryger. 40 år«. Lyder ok so far.

HVAD? Foretrækker science fiction- og katastrofefilm og synes »i det hele taget, at DR 2 sender nogle rigtig gode programmer«. Flot, 2100. Og farvel.

Så er der »frisk, slank og handsome. Lige vendt hjem efter syv år i London«. Okay. Ned til foto. Kors. Ligner ond karikatur af min bankrådgiver. Væk. Væk, væk, væk.

Hm. »Just me 41 år«. (Tegner ikke godt). »God til at lytte«. (Kan være fint nok). »Elsker at nusse dig kærligt«. (Går galt hér). »Giver dig gerne manicure, pedicure og vasker dit hår en gang imellem«. Ad, ad, ad, aaaaad.

Hér er fandeme én til, der lover fodmassage.

Og én til.

Hvem er det, der går og bilder mænd ind, at kvinder synes, det er toppen? Eller er de bare fodfetichister hele styrken?

Kl. 23.48

Synes altså man går i klicheer til knæene herinde.

Én lang køre af »alle mennesker er unikke og noget særligt« og »dig og mig« og »hånd i hånd« og »hviler meget i mig selv« og »har et dejligt, berigende job«, men »fritiden – og dig – er selvfølgelig det vigtigste«, når man »elsker hjemlig hygge med rødvin og stearinlys«.

Finder mænd deres scorebemærkninger i *Mit Livs Novelle* eller hvad?

I øvrigt fantastisk så mange 'ledere og chefer' der er plads til i et lille land med fem millioner mennesker.

Nå. Men kan foreløbig vælge mellem:

1. »Slagfærdig akademikermand« (yearh, right).
2. »Moderat allergiker, der ikke tåler korthårede kæledyr«.
3. »Ballerupmesteren i lasagne 2001 og 2002«.
4. Én, der synes, at »enhver sorg har sin ende, en regnorm har to«.
5. Én, der sender »qnuz«.
6. Én, der godt vil have »noget mand/kvinde-tam-tam«.
7. Lettere parentesforstyrret mand, der søger »k(æ)rlig kvinde«.

Og så en milliard sædpumpede Buzz Lightyear-typer. Med og uden cowboyhat og smil, man kan åbne øl med. Charterbrune eller it-blege. Med høje tindinger og katastrofale, opstillede grin. Og så ... GUUUUD ... Det er Ø. Det er sgu da Ø. Under dæknavnet 'MisterBig'.

Arj, jeg må have en whisky.

»Hejza. Jeg er en flot mand på 39 somre, som har antennerne ude efter dejlig kvinde, som har lyst til at smage på livet. Er selv sød, glad, kærlig, eftertænksom. (Ja, og ikke til at skrabe af efter første date). Nå, men er du blevet nysgerrig, så skriv til starutten«.

Smøger, smøger, smøger.

Hvor er mine smøger?

Kl. 00.12
Definitivt færdig med at netdate. Ringer helt almindeligt telefonisk og trykknapagtigt til profilløs ekskæreste. Ringer til Kelim.

Kl. 00.23
Så. Vi skal ud at spise på mandag.

Aflåst påskeleje

Mandag kl. 17.51
Skal jeg ikke bare aflyse det? Fake styrt i legetøjsgrøntsager eller opfinde ondsindet kombi af leddegigt og diarré?
Hvorfor skal jeg i det hele taget ud og spise med ham to et halvt år efter vi har været kærester?
Og hvad skal jeg tage på?
Nå. Kan selvfølgelig også bare gå ud og få noget god mad. Som jeg ikke selv skal betale for.
Og han er jo godt selskab.

Kl. 17.56
Jeg tager i hvert fald ikke tøjet af.

Kl. 17.57
Hvad nu hvis jeg får lyst til at gå i seng med ham?
Hvad nu hvis jeg ikke gør?
Og hvilken af delene er værst?

Kl. 17.59
Har kurdere måske mere nuanceret indstilling til efterfødsels-kuperet maveregion?

Kl. 18.01
Kan jeg nå at tage noget sol?
Og hvor i alverden ligger Restaurant Bastionen og Løven?

Kl. 18.09
Damn. Hvorfor får man mange flere rynker, når man har foundation på? Ligner led gammel ørn rundt om øjnene.
Og hvorfor FANDEN skal min mor altid ringe så længe på dørtelefonen? Lyder som om, hun har fået en blodprop op ad samtaleanlægget.
»Hej mor. Godt du kunne komme«. (Gider du stille dig i et hjørne ude på altanen og vente, til jeg er HELT klar til at gå!)

»Altså. Hvad er nu det? Bjørg HAR fået aftensmad«. (Ikke blive sur, ikke blive sur).

»Jamen, det aftalte vi jo i telefonen, mor. Du må selv æde det dér«.

(Ufatteligt hvor mange tupperware-beholdere hun kan få ned i ét stofnet fra Unibank. Burde være stabelchef i Ikeas 'Go cubic'-afdeling).

»Nej, jeg skal ikke ud med nogen 'sheik'. Det er bare nogle kolleger. Det bliver sikkert ikke sent ... Ja, ja, ja, jeg ved godt, der også er en dag i morgen«. (Det har man ligesom opdaget, når det er lykkedes én at blive 38 år).

»Hej, hej. Så kører jeg. JA, jeg har husket cykellygterne«. (Og mobiltelefonen, så jeg kan ringe efter en slæde i det øjeblik entredøren smækker. Hvorfor må ens mor egentlig ikke vide, at man kører i taxa, så snart man er uden for deres jeg-sparer-stadig-efter-krigen-rækkevidde?)

Kl. 18.29
Ud ad døren. Ind i droschen. Alt for sent. Må tage mascara på undervejs.

Kl. 02.29
Ud ad døren. Ind i droschen. Alt for sent. Må tage tøj på undervejs.

Kurder kom lige fra London. Og jeg kom sprintende op ad volden 27 minutter for sent. Spiste sammen. Talte sammen. Tog hjem sammen. Og gik i seng sammen.

Hvad skal jeg sige til min mor?

Kl. 02.41
Liste. Liste. Liste ... (Hun sover sgu) ... Liste ...

»Hej mor ... Den er ikke så mange. Sov bare videre. Skal jeg ikke slukke for fjernsynet?«.

Kl. 02.53
Så ligger man hér. Med sin mor på sofaen, sit barn i junosengen og mælkesnitter i køleskabet. Og har haft sex med eks.

Har egentlig været fin aften. Følte mig klog og lækker. Og han var godt publikum. Men hvad er det lige, jeg skal med det? Kan jo ikke bruge resten af livet på at styrte byen rundt i lidt for stramme cowboybukser og lede efter komplimenter. Vil have sex, der gælder. Og mand, der gælder. Og liv, der gælder.

Tirsdag kl. 09.10
Nå. Har besluttet, at jeg ikke har nogen problemer.
Har kickstartet overskudsliv v. at tale pænt til både Bjørg og min mor i over en time. Har presset appelsinjuice, pakket Bjørgs skilsmissetaske t. påskeferien og sunget *Mariehønen Evigglad* hele vejen t. vuggestuen.

Vil fremover:
1. Være glad for at Bjørg ikke har gane-spalte.
2. Købe et sommerhus.
3. Unde andre mennesker alting.
4. Lære at skyde.

Skærtorsdag kl. 06.12
Skal tisse.

Kl. 06.18
Arj, skal tisse igen.

Kl. 06.41
Av, av, av.
Åhhh, hvor skal jeg pisse.

Kl. 06. 54
Har drukket ni store glas vand. Og rodet narkomanagtigt rundt på hylderne efter sulfatabletter og tranebærsaft. Har ingen af delene. Men har m. stor præcision fået blærebetændelse på den første helligdag i miles omkreds. Takket være sex med eks.

Kl. 07.14
Overskudsliv midlertidigt afblæst. Hader alle vagtlæger. Hvorfor skal de altid opføre sig som om man beder om 750 råhypnoler? Og forlange at man stiller på Frederikssunds-vej og pisser i et centilitermål, før de vil udlevere nogle skide tabletter?
Kan ikke holde mig hele vejen derud.

Kl. 07.51
Jeg sagde det jo. Kunne ikke holde mig hele vejen herud.
Fejrer nu påske på stiv stol i venteværelse sammen m. to alkoholikere, seks arabere m. skrigende spædbørn og stor mandlig bakteriespreder fra Nordvest, der pudser næse nonstop.
Og så er der selvfølgelig kø v. toilettet.

Kl. 09.13
Så. Kun 11 numre til det er min tur.

Kl. 10.25
Møglæge. Kunne han ikke bare have GIVET mig nogen piller?
Jeg kan jo ikke holde mig hele vejen ind til Steno Apote-ket, vel.

Kl. 12.14
Pak sammen B.S. Har gennemført fire timers overlevelses-tur for at skaffe for tyve kroner farmaka mod banal blære-betændelse. Vil have emblem.
Eller ridderkors.

Kl. 22.01
Overskudsliv genoptaget. Sulfa virker. Ligger i aflåst på-skeleje i sofaen og ser *Thelma og Louise* for 4. gang m. fingre-ne langt nede i Bjørgs påskeæg.
Skulle måske bare anskaffe gammel amerikanerbil. Og skydeglad veninde.

The Raaajjght One

Mandag kl. 01.49

Hmm.

Har været i skoven m. Bjørg. Og Thomas.

Han ringede i morges og spurgte, om jeg ville med. Det vil man jo gerne.

Har trasket rundt ude i Dyrehaven hele dagen. Familien Fake m. tæppe og madkurv.

Frygtelig dejligt.

Og skide ubehageligt.

På den ene side er man de to eneste mennesker i verden, der bliver lige lykkelige af at se hende gå på røven i en bunke blade. På den anden side er man helt alene.

Svulmer af ømhed for ham, når han giver hende en svingtur. Men skal passe sådan på, at følelsen ikke breder sig. MÅ kun gælde det lille område, der hedder Thomas sammen med Bjørg. Og ikke Thomas sammen med Nynne.

Havde utallige, indre blødninger på strækningen Fortunen-Eremitagen.

Bizar oplevelse at gå og konversere sin eksmand. Og grine lidt for imødekommende af alt, hvad han siger, for ikke at spolere den skrøbelige, gode stemning.

Han tog med hjem og spiste aftensmad og puttede Bjørg. Ny indre blødning. Aktiveret af at være hjemme alle tre. Altså bortset fra ham.

Prøvede at lade som om, jeg havde lært at lave mad, siden han flyttede.

Gik dårligt.

Underligt at have ham inden døre. Pludselig spørger han efter en kniv. I stedet for bare at gå over og tage én i den skuffe, han selv har udnævnt til opholdssted for bestik for længe siden.

Da Bjørg sov, kom han ind og satte sig i sofaen m. hovedpudemærker på kinden og rodet hår. Kunne ikke lige overskue, hvordan vi skulle få sagt farvel. Åbnede i stedet en flaske vin mere.

Vin var – ikke overraskende – rigtig dårligt forsøg på damage control. Kom selvfølgelig til at sidde og tale alt for åbent om, hvordan vi havde det med at være alene. Hvilket ikke er særlig smart, når man samtidig sidder m. en smertefuld fornemmelse af, at man med et snuptag måske kunne være hinandens løsning.

Han gik ved ét-tiden.

På den mærkelige måde.

Tirsdag kl. 23.11

Øv. Kan ikke lide den sorthårede, overkontrollerede Ken-dukke, der leder det hér land.

Så udsendelsen *Fogh bag facaden*. Et sammenklippet helteportræt af Danmarks statsminister i aktion.

Helt fint at få samlet Europa. Men er det virkelig ikke muligt at være ordentlig over for sine medarbejdere samtidig? Også selv om det skulle betyde, at tidsplanen skrider m. tre minutter? Han skulle have sådan et los i røven med en bordplan. Vel at mærke den bordplan, hvor landene bliver taget bagfra.

Og stakkels Per Stig. Regeringens intellektuelle udenrigsminister. Som Ken i løbet af en time på DR fik reduceret til piberygende hofnullermand. Uden portefølje.

Kl. 23.52

Hvad? En sms?

Kl. 23.54

Fra Thomas.

'Tak for i går. Savner jer. T.'

Kl. 23.55

Savner os? Jamen, vi er jo skilt.

Vi er jo skilt, damn it. Skal jeg blive glad, eller har han bare lige en følelse?

Skal jeg ikke bare blive glad? Det er jo ham, jeg vil have.

Eller det er det måske ikke så?

...

Hvorfor er det ikke bare fantastisk at få det, man tror, man ønsker sig?

Måske kan man ikke bare lige vende hele sit verdensbillede på grund af et bip-bip på en mobiltelefon.

Kl. 00.02
Nå. Lukket for telefonrådgivning i omgangskreds. Hele bundtet sover åbenbart.
Kan man henvende sig på psykiatrisk skadestue m. dét her?

Kl. 00.13
Hvad skal jeg gøre?
Må svare i morgen. Eller en anden dag. Har ikke noget svar nu.
Lader som om, jeg sover.

Fredag kl. 23.06
Kors. Har siddet i fem timer t. årets mest dødssyge repræsentationsmiddag. Har næsten vand i hovedet af kedsomhed. Havde musikskolelærer til bords, hvis tv-antenne stod 20 grader forkert i forhold til Kalundborgsenderen. Det talte vi længe om.
Bagefter ud i bilen. Og af sted mod outlaw Husum. For at pille sovende barn op hos mormor.
Blæste ud ad Jyllingevej m. bilradioens volumenknap vredet i bund. Fyldte resten af kabinen m. egen stemme helt oppe i det røde felt og mund spærret op i Kim Larsen-størrelse:

Cause you're the FIIIIIRE, you're the one
But you will NEEEEEVER see the sun, if you don't know,
You're right next to the RIIIIIGHT one.
I could call it many names,
But it's myself I need to blame,
If you don't KNOOOOOW,
You're right next to the RAAAJJGHT one.

Så var det jeg opdagede, at mobiltelefon lyste. Og havde forbindelse med nogen. Fuck. Havde åbenbart glemt at låse tastaturet. Igen.

Greb den for at se, hvem den havde ringet op denne gang.

Og fandt én ny sms-besked. Fra Nick the Dick. Skaldet chef from hell. 'Hej Nynne. Flot solo. Har meldt dig til *Stjerne for en aften*. Nick'.

Helvede også.

Helvede, helvede, helvede.

...

Hvornår åbner Arbejdsformidlingen mandag morgen?

MAJ

Pas, Zovir og penge

Mandag kl. 23.53
Altså. Har nu i fem (FEM) dage forsøgt at få fat i Thomas.
På sms, mobil, fastnet og vha. regulær tankeoverføring.
Typisk ham at sende 'jeg-savner-jer'-bombe på sms og så
forsvinde sporløst. Var godt nok halvandet døgn om at
reagere på hans chokmelding.
Kan han været blevet sur over det?
Er jeg ude nu så?
Eller hvad?

Tirsdag kl. 22.04
Respekt. Er på vej i seng. Er faktisk på vej i seng. Har
endda taget kontaktlinser ud. Og mascara af. Har også nat-
tøj på. Og tænder er børstet. Overvejer at tage polaroidbil-
lede af mig selv som dokumentation.

Kl. 22.05
Prøver lige Thomas en sidste gang.

Kl. 22.06
Svarer stadig ikke. Begynder faktisk at blive urolig for ham.

Onsdag kl. 20.18
#¤%&!!!
Er rasende.
Er eddermaneme så rasende.
Her har man været på nippet til at kontakte Rejseholdet,
Sporløs og Interpol. Og så ringer han bare. M. verdens mest
almindelige stemme.
Har han været i problemer? Nej. Har han været indlagt?
Nej. Har han været sur? Nej. Har han brugt hovedet? NEJ.
Han har sgu da været i USA. Stille og roligt. På arbejde.
Uden at give besked.
Herregud. Vi har også bare en datter på halvandet år
sammen.

Har lige haft kæmpetelefonskænderi på decibelniveau, der fik overboerne til at hamre i gulvet m. kosteskaft. (Hvorfor skal jeg i øvrigt have ældgamle overboere, der hører som dobermænd?).

Han kan overhovedet ikke se problemet. Mener i hvert fald ikke, der er grund til at hidse sig sådan op. Svarede ham m. ordvalg og lydstyrke, der ligesom deletede jeg-savner-dig stemningen.

Hader ham.

Hader ham 100-0.

Igen.

...

Egentlig en lettelse. Nemmere at have med at gøre.

Kl. 20.32

Nå. Og hvor er recepten på mine p-piller så? Skulle være begyndt på en ny pakke i forgårs.

Hvor fanden er den?

Kl. 20.33

Måske i taske ...

Hælder lige hele dyngen ud på stuebordet. Iført SARS-maske.

Kl. 20.59

Jesus C.

Har dissekeret 29 kilo taskeindhold.

Fandt:

5 taxakvitteringer

3 kuglepenne

Et par hjemmesko, str. 23

1 tomt cd-hylster

1 abstrakt børnetegning

Halvanden meter gavebånd

Eyeliner fra Lancôme

To år gammelt boardingkort t. London

1 Alfons Åberg postkort

5 løse kontaktlinser
1 Libresse natbind
1 grøn børnesaks
Tom æske Gajol m. propolissmag
Pas (Nå, dér er det!)
Pakke m. 21 sorte hårelastikker
To-grams Zovirsalve
Halvfyldt vareprøve på skrubbecreme fra Vichy uden låg
(resten i tasken)
En meget stor serviet
7 gamle parkeringsbilletter
Uåbnet rudekuvert fra Danske Bank, poststemplet 21. februar
Brochure fra Abby Beauty Cult
1 kompostegnet banan
4 gamle indkøbssedler
Afhentningsseddel til City Rens og Vask (Hvad fanden har jeg liggende dérinde?)
Kørekort (Øv. Ligner stadig giraf på foto)
Lukkedims til frostposer
Større klase piratos (Vokset fast som klistret, sort moderkage i bunden af tasken)
ISO-indkøbsvogns-mønt
Brilleetui (uden briller)
Bjørgs blomsterhårspænde (uden spænde)
12-13 busbilletter
Wunderwear-bon på last minute-køb af stay up-strømper t. Kelim-date (219 kroner!)
Briller (m. helt nye skrammer)
5 batterier (Scoret på job t. fjernbetjeningen og Bjørgs gåhund)
Oplysningsseddel fra Told & Skat 2002
Tomt etui t. fotoapparat
2,75 kr. i kontanter
2 pund. (De dur da endnu, gør de ikke?)
1 Kleenex. (Brugt)
2 tebreve
Kvittering fra Mobilkompagniet på to Nokia 8210 fronter

Bon fra lokal tøjpusher på kr. 8.997,00 (væk med den, væk med den, væk med den!)
Parkeringsbøde (Lede selvtægtsagtige Carpark-koncept)
Uspecificeret bon fra Steno Apotek på 56,30 kroner
Nøgler (Masser af nøgler)
4 stempelkort fra Baresso
Medlemskort til Blockbuster (Nå, dér er det!)
Telefonnummer t. Alm. Brand noteret på et brev sukker fra Café Jorden Rundt
Bon fra Q8 på 37,4 l blyfri benzin, tanket på stander 5
Visitkort fra norsk fotograf (Hvem fanden er dét?)
Tre Panodil (To faktisk i original indpakning)
Sygesikringskort (Nå, dér er det ... Men hvor er min pung?)
Ubrugt 2003-kalender fra Ordning&Reda
Et stearinlys (!?!??)
1 sut m. tobakssnuller på. (For helvede, Nynne. Du er nogens mor).
Clinique-læbestift (over det meste af tasken).

... men ingen recept på p-piller.
Må ringe efter ny i morgen.
Igen.

Kl. 21.20
Øv. Har glemt at se sidste afsnit af *Temptation Island*. Nu får jeg aldrig at vide, hvordan det er gået dem.

Anyway. Satser på skilsmisse mellem Hélene og Allando. Må se *Airport* som trøst. Og måske *Frasier*.

Kl. 05.30
Hvad?

Er lige vågnet. I sofaen. Fuldt påklædt. Og med støvler på.

Virkelig fedt at vågne t. ny dag m. tv-shop i fjernsynet, solen bankende ind ad vinduerne og elektrisk lys i alle lokaler. M. foret mund og ondt i nakken.

Hurtigt. Af m. tøj og sko. Og ind i seng. Bjørg må ikke se mig sådan her.

Kan lige nå at spille straight, great mum, der sover i sove-værelse, i en time, inden vækkeuret ringer.

Britta has left the building

Tirsdag
Har fået julekort fra Anders.

Bør nok overveje at fjerne de 203 vat-snefnug fra Bjørgs vindue én af dagene. Tog ellers ni søndage i advent at lime dem fast m. klam grød af mel og vand.

Onsdag
Hm. Justitsminister gravid igen.

Helt ærligt. Har hun ikke en spindoctor? Eller bare et ordentligt menneske, der kan fortælle hende, at superkvinder gik uigenkaldeligt af mode i slutningen af 1999?

Nå. I det mindste hedder hendes mand Danny.

Kl. 21.27
Spiser havrefras og ser *Profilen*.

VIL altså være Åsne S.

M. Bagdad, lyst hår og fjeld-appeal.

Vil også skrive *Boghandleren i Kabul*. (Baseret på telefoninterview fra Østerbro. Eller evt. fra arbejdet. Billigere).

Torsdag
Hvilket dyr er Kaptajn Skæg fra *Rasmus Klump* egentlig?

Fredag kl. 11.11
Føj. Skal til medarbejdersamtale. Nå, tager vel ikke ret lang tid. Skal formentlig bare underskrive aftrædelsesordning.

Skal jeg tage styrthjelm på? Eller måske forberede et illusionsnummer?

Må hellere træne lidt.

Ved for eksempel ikke helt, hvilket selvbillede, jeg skal tage med derind.

Kan:

1. Marchere ind m. Britta Schall-Holberg-attitude og tale non stop i 240 sekunder om egne resultater, originale hvor-får-du-det-fra-Nynne-initiativer og kæmpe potentiale. (Især potentiale). Fortælle, hvor svært det er at adskille job og fritid, når man er så dedikeret. Og at flere ansvarsområder bare vil være en udfordring.

2. Ydmygt glide ind i lokalet m. svedskjolder på størrelse m. grydelåg under armene. Takke for tålmodigheden og afdelingens rummelighed. Og undskylde at man ikke rigtig har været på arbejde de sidste tre år pga. barsel, vuggestuepest og skilsmisse. Kan evt. slutte af med at insistere på at gå ned på halv løn.

Svært. Begge dele egentlig meget rammende.

Nå. Snupper nummer 1. Er trods alt enlig forsørger m. ansvar for barn i voksealderen.

Kl. 12.09
Store nar.

Store, store kæmpenar.

Har det Nickhoved ingen konduite?

Har lige set mit arbejdsliv indtegnet som kurve i diagram. Ikke ligefrem nogen selvtillids-booster. Oppe i toppen lå tykt kabel af kollega-kurver. Og så, nede i bunden, lå lille ynkelig, stiplet streg og rodede rundt helt alene.

Det viste sig at være min arbejdsindsats første kvartal 2003.

Så var Britta Schall-Holberg ligesom den, der var skredet. Tilbage sad jeg. Og prøvede at pippe et eller andet om kvantitet og kvalitet.

Gik dårligt.

»Jeg har stor forståelse for din situation, Nynne. Og selvfølgelig skal der være plads til medarbejdere med børn på en moderne arbejdsplads. Men ...«.

Og så kom det. Med et smil. Og flankeret af komplimenter. I kategorien du-er-et-kæmpe-aktiv-for-afdelingen og vi-mangler-jo-folk-med-dine-talenter:

»... det er jo ikke noget socialkontor. Er der ikke en ung pige, der kan passe dit barn, når han er syg. Og måske hente ham om eftermiddagen? Hvor gammel er det, han er nu?«.

»Hun er 21 måneder«. (Og du er skide tarvelig).

Ok. Er uden tvivl gået virkelig tidligt nogle dage. Og arbejder ganske rigtigt heller ikke 62 timer om ugen længere. Men hvad fanden i luften bilder han sig ind?

Hvad lige med alle de aftener, jeg har siddet derhjemme og knoklet? Eller alle de weekender og ferier, der liiiiige er blevet forkortet m. halvandet døgn, fordi jeg har fået en opgave i hovedet i sidste øjeblik. Og hvad med alle de sager, han har styret uden om resten af afdelingen og direkte ind på mit bord, fordi »du er den eneste, jeg kan betro den her opgave«.

»Ikke noget socialkontor«. Fandeme heller ikke svært at være karriere-isse m. tre børn, når man har kone derhjemme, der kører hele butikken og er lægesekretær på hobbyniveau.

Flot. Rigtig flot, at han først forlader kontoret kl.19.00.

Efter at have siddet og læst Euroman i halvanden time.

Kl. 13.04

Har sådan lyst til bare at skride nu. Som straf. Gå i Magasin og købe sandaler. Og hente Bjørg tidligt.

Kl. 13.11

Tør ikke.

ER ikke Åsne.

Kl. 18.39

Så. Er næsten færdig nu. M. hele næste uges arbejde.

Tre timer siden at Nick the Dick råbte »God weekend« og headede mod ødegård i Sverige m. O'Neill-solbriller i panden og familien på bagsædet.

Kan lige nå hjem og se *Disney Sjov* m. min mor og Bjørg.

Hvis 14'eren ellers går på den her tid af døgnet.

Må på en eller anden måde se at få demonteret Øresundsbroen i løbet af weekenden.

G-misundelse

Søndag kl. 15.21

Hm.

Keder mig.

Kan ikke lide:
1. Søndage uden barn og retning
2. Cola Light m. lemonsmag
3. Unge mennesker

Kan ikke forstå:
1. Hvorfor man får 14.000 kr. udbetalt, uanset hvad man tjener.
2. At der er folk, som af princip ikke tager hovedpinepiller.
3. T.S. Høeg

Kan ikke finde:
1. Tilgodebevis på 899 kr. t. Companys. (Godt nok fra 1999. Er pengene så tabt? Så gider jeg nemlig ikke at lede).
2. Afkørslen til Ikea Gentofte. (Havner altid i det dér Vangede).
3. Mit g-punkt. (Findes det overhovedet? Eller simulerer de bare hele flokken? Hvis de gør, er det eddermaneme tarveligt). Nå. Men så har man så meget andet.

Nævner i flæng:
1. ...?
2. ...?
3. ...?
4. ... drøbel?!

Mandag kl. 21.40

Bliver faktisk lidt irriteret over det her. Hvorfor har nogen g-punkt, hvis andre ikke har? Ikke særlig logisk eller gennemskuelig overskudsdeling på det område. Knytter sig tilsyneladende hverken til hårfarve, IQ eller politisk overbevisning.

Gad vide, om det er arveligt.
Ville i givet fald forklare alt.

Kl. 22.12
Måske er det bare en vandrehistorie. Ligesom det dér m.
dronning Ingrid.

Kl. 22.14
Er det uambitiøst at stille sig tilfreds med liv uden? Bety-
der det, at mine orgasmer i virkeligheden slet ikke tæller,
mens de andres kan måles på Richterskalaen?

Synes egentlig jeg havde meget godt sexliv, indtil jeg
kom i tanke om dét her.

...

Nå. Måske heller ikke så vigtigt. Men når man hverken
har mand, kernefamilie eller formue, ville det være rart i
det mindste at have et g-punkt.

Kl. 22.51
Ok. Ringede lige til Slagelse. Og vækkede Bente, som hel-
ler ikke har noget. (Har formentlig også så meget indven-
dig plads, at der er aula-stemning og navneopråb).

Havde til gengæld fået ny vaskesøjle. Kunne høre, at hun
mente, det gik lige op.

Kl. 22.57
Natascha var ikke hjemme.

Opgav at pumpe mandlig, lettisk au pair. Heller ikke sik-
kert, han ved det.

Kl. 23.01
Gad vide, om Lene Espersen har ét?

(Åhhh, det har hun garanteret).

Åsne?

(Nej. Har alt for travlt. Er også beyond sex).

Pia Rosholm?

(Ville helt sikkert svare ja. I alle landets ugeblade. Og
henvise til, at det var det, hun valgte at tage med på Robin-
son-ekspeditionen som eneste personlige ejendel).

Nicole Kidman?
(Havde det sikkert med t. Cannes som håndbagage.
Uden at blive stoppet i sikkerhedskontrollen).
Hvad med hende dér Marion Dampier-Jeans fra *Ånder-*
nes Magt? (Et eller andet sker der i hvert fald under de dér
udsendelser. Har nok kontakt til et 'på den anden side').
Sue Ellen?
(Tror ikke, JR havde tid til den slags. Var nok bare: Hur-
tigt ind, hurtigt ud og så tilbage til Ewing Oil).
Helena Christensen?
(Har garanteret helt vildt pænt ét. Som hun har fået i
vuggegave af nogle Peru-indianere).
Bridget Jones?
(Kender hendes slags. Kunne godt være typen, der laver
karriere på at råbe til hele den vestlige verden, at hun ikke
har noget).

Kl. 23.56
Nå. Må vel kigge efter igen. Some day. Orker ikke at sidde
på hug nu. Tager sgu også lidt tid at lede tingene igennem,
når man har født.
Faktisk heller ikke noget særlig sjovt énmandsprojekt.
Kunne godt bruge en hånd m. det her. (Der også lige kunne
hænge et par lamper op i stuen og lappe min cykel).

Tirsdag
Christ. Er så træt, at jeg ligner en mand.
Kom alt, alt for sent i seng. Og stod urimeligt tidligt op
for at producere overskudsmadpakke til Bjørg, som skulle i
Anemoneteatret m. vuggestuen.
Skød ud af døren – næsten til tiden. Og skød tilbage igen.
Efter hendes regntøj. Nåede derover tids nok t. at kaste
hende ind i to-og-to-opstilling, der allerede bugtede sig
ned mod stoppestedet. (Heldigt at børn har så små ben.
Kan næsten altid indhentes).
Timede derefter cykelturen til arbejdet, så jeg lige præcis
ramte dagens største regnbyge. Ankom til morgenmøde m.
strandvaskerlook. Og Bjørgs madpakke i cykelkurven.

Indtog fem gulerodsstænger, et nykogt æg, tre kvarte m. makrel, to ostehaps og en lille æske rosiner til frokost, mens kolleger måtte nøjes med duftende thaisuppe fra kantinen.

Onsdag
Det findes sgu ikke.
Hvis det fandtes, havde jeg haft det.

Torsdag
Nu må de fandeme holde! Dødtræt af internettet. Hvad skal man stille op med alle de informationer?

Så er der så pludselig også noget, der hedder a-punktet. Tre centimeter længere oppe!

Må snart have pegepind. Og pandelygte.

Hvorfor kan alting ikke bare være som det plejer?

Heller ikke særlig sjovt for mænd, hvis det hele bare går ud på at sænke slagskibe. På den indvendige måde.

Lørdag
Har løst g-problem.

For 1.389 kr.

Parkerede sovende Bjørg i klapvogn foran Lingerikælderen. Prøvede hele forretningen på tolv minutter. Og tog rask beslutning: Investerede i toplækkert sæt undertøj fra Aubade. M. det hele. Og blonder.

Er trods alt ikke kun det indre, der tæller.

Befri Willy 3

Mandag kl. 21.30
Ja. Ok. Så har hun virkelig pæne bryster, hende Kidman.
Men det er jo heller ikke svært, når man har adopteret
alle sine børn, vel? Og oven i købet har stylist til at hjælpe
med at sætte dem, inden man skrider op ad den røde løber
sammen m. von Valium.

Tirsdag kl. 16.12
Nå. Hvad skal det være i dag?
Hvad fanden skal det være i dag?
Hader ISO.
Hader kølediske.
Hader folk, der skiftes til at købe ind.
Er man overhovedet voksen, når man stadig får kold-
sved hver eneste dag v. tanken om, hvordan det skal lykkes
én at frembringe et nærende aftensmåltid til sit barn?
(Hvem er det i øvrigt, der køber det dér kalkunkød? Kan
de ikke bare købe kylling, altså?).

Kl. 20.01
Nul.
Nægter altså at se kortfilm m. både Iben Hjejle og Stine
Stengade. Er simpelt hen for pæne. Har garanteret også fun-
det deres g-punkt:»Jamen, det skete bare lige pludselig«.
(Yearh right. Under sanseøvelse på skuespillerskolen. Su-
pervi-fucking-seret af Mads Mikkelsen og Ulrich Thomsen).
Væk med dem. Tager *Hammerslag* på DR1 i stedet for.

Kl. 22.05
Hvem fanden ringer på nu?
Bare det ikke er pejlevognen.

Kl. 22.06
»JA???«.
»Det er Anders. Jeg kommer lige op. Der er ... noget«.

Kl. 03.41

Ja, det skal jeg love for, at der var. Noget. Selv om det tog det meste af en time at få det halet ud af ham.

Resumé:

Var lørdag aften taget til fange, jeg mener til middag hos Gittes forældre i Herlev. M. Kirr Royal, flødekartofler og svigerfar-dunk i ryggen.

Lige før desserten havde Gitte jaget ham ud i haven, fikseret ham foran kvarterets største rododendronbusk og så – m. Kirr-ånde og hænderne flettet hårdt ind i hans – friet ham lige op i ansigtet.

Og Anders, der hele aftenen ikke havde svaret andet end »ja tak«, og som inde bag husets store glasskydedør kunne se hr. og fru Herlev m. store smil presset op mod termoruderne, kunne ligesom godt mærke, hvad der var hans replik.

Og så sagde han ja.

Så sagde han fandeme bare ja.

Hvorefter hele svigerholdet på tegn fra Gitte væltede ud i haven m. spumante, videokamera og endnu flere dunk i ryggen.

Så nu skal de først på bilferie. Alle fire. Til Algarvekysten. Og så skal to af dem giftes. 16. august.

Søndagen brugte den vordende brud på at lave bordplan. Og så tog hun ellers til krop & sjæl-uge på Gudme Højskole. Sammen med et par veninder og en masse indbildt aura. Mens Anders forsøgte at drukne det hele i øl og fodbold.

Først her til aften begyndte det at gå op for ham, at det nok ikke går over af sig selv. Og at nogen må gøre noget.

»Kan du ikke ringe til hende?«, foreslog han.

»Gu' ka' jeg da fuldstændigt ej. Hvad skulle jeg sige?«.

»At det ikke er så godt alligevel«.

Godt set, Anders. Dit store kvaj. Hvor har du været henne det sidste halve år? Mens Herlev har svampemalet hele dit liv, meldt dig ind i Biografklub Danmark og lavet reflekser i dit hår?

Nå, men her ved 3-tiden stod det klart, at:
1. Anders ikke vil giftes (så langt så godt).
2. Ikke selv vil fortælle bruden det.
3. Godt kan se, at det er langt ude, at det er mig, der skal ringe til hende.
4. Men at det bliver jeg bare nødt til.

For helvede, altså.

Nu ligger han her på sofaen og sover. I Codan-t-shirt og mellemblå tennissokker. Ligner faktisk heller ikke nogen, der skal giftes.

Må hellere selv gå i seng. Har meget brug for søvn.

Skal tilsyneladende spille hovedrollen i *Befri Willy 3* i morgen.

Hvad er egentlig områdenummeret til Gudme?

JUNI

Yes, yes, yes, yes, yes, yes. YES!

Hanne fra Human Ressource skal skilles.

Til døden mig skiller

Mandag kl. 15.12
Hvorfor i al-fucking-verden tager de ikke telefonen på det dér Gudme Højskole? Måske er det en del af programmet at undgå kontakt m. den konkrete verden.
Har nu i fem dage forsøgt at få aflyst Anders' bryllup.
Altså. Hvorfor skulle den opkørte skøjte også lige fri til MIN ven? Og hvorfor christ har jeg sagt ja til at ringe og rode ham ud af det igen?
Vil have genetillæg.
Big time genetillæg.
Nå. Må fange hende, når hun kommer hjem sent i aften. M. kufferten fuld af kranio-sakral-oplevelser.

Kl. 15.17
Hvornår er det egentlig bedst at få at vide, at der er nogen, der ikke vil giftes med én?
Før eller efter at man har pakket ud?
Lige inden man skal sove?
Eller måske først, når man stiger op til splinterny, spumantisk dag i Ryparken?

Kl. 15.18
Kan jeg ikke bare aflevere det på telefonsvareren? (»Du hører Gittes telefonsvarer. Afvisninger modtages mellem 8 og 9 om morgenen. Torsdag tillige mellem 16 og 17. På forhånd tak. DYYYYYT«).

Kl. 22.41
Åhhhhh. Hvordan gør man det her?
Hvad fanden skal jeg sige?
1. »Hej, det er Nynne. Du øhh, det dér med den 16. august. Det bliver nok ikke til noget. Anders kan ikke den dag«.
2. »Hej Gitte. Har du fundet dit pandechakra? Nå, men det er da godt. Vil du høre noget sjovt? ... Han vil ikke alligevel«.

3. »Hej Gitte. Så er det bare forfra. Med svampemaling og lyse striber. I en anden mands hår«.
4. »Hej, det er Nynne. Du har tabt. Han vil ikke!«.

Kl. 23.19
Bare hun ikke tager den – bare hun ikke tager den – bare hun nu for helvede ikke tager den ...
»Det er Gitte!«.

Kl. 23.51
Jeg gjorde det.
Jeg gjorde det!
Jeg aflyste nogens bryllup!
Er til gengæld varigt døv på højre øre. Og ryster stadig lidt på hænderne.
Tog det ikke ligefrem pænt. Gitte, altså.
Blev faktisk lidt bange for hende, da hun trak vejret meget langt ind og så blæste én lang køre af »dig-din-din-din ... det-er-dig-der-har-talt-ham-fra-det-bare-fordi-du-ikke-selv-kan-holde-på-en-mand-du-er-sådan-en-der-ødelægger-alt-bare-fordi-du-vil-have-ham-for-dig-selv« gennem TDC's kabler.
Forsøgte at sige noget med, at han bare ikke har lyst. Og at det faktisk er godt, at det kom frem nu.
»Så du kan gå ud og finde én, der virkelig vil dig«. (Bliver svært. Men heldigvis ikke min opgave).
Ryparken ikke enig.
»Det hér kommer du til at fortryde«, hvæsede hun på al-Qaeda-måden, før hun smækkede røret på.
Nå. Men mission completed.
Fik fat i Anders, der havde skjult sig i en Bowl & Fun-hal i udkanten af byen. Og leverede aftenens strike til ham over mobiltelefonen: Ikke noget bryllup. Ikke nogen bilferie til Algarvekysten m. svigerforældre. Ikke noget rododendron-liv.
Han skylder mig ALT. Mindst. Plus to ture i Ikea.
Hvor han bærer.

Tirsdag

Jann Sjursen?

Har helt sikkert ikke ét. Det bruger de ikke i det parti. (»Jeg forsager mit g-punkt og alle dets gerninger og alt dets væsen. Jeg tror på g-udfader den almægtige, himlens og jordens skaber, kødet på afstand og det evige liv«).

Onsdag kl. 14.12

Pyhh, det var tæt på. Endnu et statsråd overstået uden forlovelse.

I teorien kan han altså stadig gå efter Haakon-modellen.

Fordele v. at blive DKs Mette Mareridt:
1. Mange sko og tasker.
2. Gemakker.
3. Kan drikke cognac slammers m. kronprins Charles. (»Come nu on, Charlie, gamle mahogni-fjæs. Down the red lane! Hvor is Camilla?«).
4. Flag på busser til fødselsdag.
5. Sex m. Frede.

Ulemper v. at blive DKs Mette Mareridt:
1. Gravhunde OVERALT.
2. Slut med at gå på Andys Bar. Og kaste op på hjemvejen. (Dog kort hjem, billigt i taxa).
3. Har mor, der vil insistere på at bage galopkringle til statsrådet.
4. Ongoing hingstesludder m. prinsesse Benedikte.
5. Fortid oprullet i ugeblade. (U-over-sku-e-ligt!).
6. Kun sex m. Frede.

Dropper det. Går ned i gear.
Tager sgu Camilla Andersen.
Eller Hugh Grant.
Eller også bliver jeg bare her.
Til døden mig skiller.

Vi skal ud i det blå ...

Søndag kl. 04.30
Hm. Er vågen. Og underligt udhvilet. Måske er det morgen. I hvert fald lyst udenfor.
Fuck, den er kun 4.30. Må være faldet i søvn m. Bjørg. Igen. M. alt tøjet på. Igen.
Altså. Duer ikke, det hér. Har sovet i ni timer m. gummisko og bøjle-bh på. Sker nærmest tre gange om ugen. Har efterhånden helt skævt døgn i forhold til alle andre voksne mennesker. Deler kun døgnrytme m. avisbude og sortbrogede køer.

Kl. 04.35
Er faktisk virkelig vågen. Står sgu op.

Kl. 04.40
Puhh. Meget svært at få bare fødder ud efter 24 timers ophold i gummisko. Var nødt til at afmontere dem ude på altan. Lidt bange for at vække naboer, da fødder endelig gav sig og forlod stinkende, fugtigt undertryk. Ved heller ikke, om mine bryster nogensinde kommer til at ligne hinanden igen. Bøjle-bh har arbejdet sig nordpå i løbet af natten og delt højre bryst i to.

Kl. 04.45
Hvad kalder man egentlig det her tidspunkt? Er det nat eller morgen?
Hvis nat: Ok at ryge.
Hvis morgen: For lowlife-agtigt.
...
Er nok nat.

Kl. 04.46
ER nat, sagde jeg.
Hvor er de?

Kl. 04.53
Så. Tømmer lige askebæger.
  Sådan. Nu er det morgen.

Kl. 04.55
Ser ud til at blive godt vejr. Skal på stranden m. Natascha
og Victoria. Bliver hentet 9.30. Det vil sige om nærmest et
døgn. Skal jeg ikke bare gå i seng igen?

Kl. 04.59
Nix. Nu har jeg chancen. Nogen har foræret mig Det Store
Forspring. Kan nå alt.

Laver lige liste over strandgear.

Skal huske:
Kæmpe ny sivtaske (Meget Audrey Hepburn. Skal nok bli-
ve en god dag).
Blomstret vattæppe (Of course!).
Puder, sandfarvede (Eller spilder Bjørg på dem? Lige me-
get. Skal med).
Store, hvide, tørretumblede badehåndklæder (Eller spilder
Bjørg på dem? Lige meget. Skal med).
2 liters mørkerød Kina-termokande m. blomster på (Alt
bliver koldt og løber ud. Men virkelig pæn).
Solblokker t. Bjørg.
2 liter sunlotion + anti-wrinkle sun care t. ansigt.
(Biotherm. Koster 42 kr. at dække næseparti. At de vil være
det bekendt, altså.).
Boller, hjemmebagte (Bager om lidt, har masser af tid).
Skidesikre badebukser t. Bjørg.
Solhat t. Bjørg.
Kopper (Begynder at blive tungt).
Parasol (Og inder til at bære den).
Sandting t. Bjørg.
Nye, dyre solbriller (Eller træder Bjørg på dem? Lige me-
get. Skal med).
Neglelak til tæer.

Overskuds-madkurv (Vandmelon, ærter i bælge, kiks, rosi-
ner, Pellegrino-vand, små økologiske æblejuice, ingefær-
småkager fra Perchs, Yunnan-Earl Grey te fra Perchs ... så
ser man lige mig have tjek på det hele).
Badetøj (Åhh, nej ... så ser man lige mig i bikini).
...
Og 100 andre ting, fordi der er god tid.

Kl. 05.20
Hvor er skidedyr D&G-bikini?
...
HVOR er den?

Kl. 05.25
Og hvem har kogt den? Passer OVERHOVEDET ikke i
størrelsen.
Hm. Hvad har jeg så?

Kl. 05.31
Har falmet Speedo-badedragt, str. 14 år. Duer ikke. Og leo-
pard-bikini fra 80'erne. Duer heller ikke. Men det er der
åbenbart ikke noget at gøre ved. Fedt m. tiger-look, når
krop er skummetmælksfarvet.

Kl. 06.01
Tjekkede lige egenbehåring. Havde nærmest puddelkrøl-
ler på ben. Kvikbarberede dem. Dårlig idé. Ligner nu no-
get, katte hvæsser kløer på.

Kl. 08.01
Hvorfor hæver de ikke? Bollerne. Står bare og snorksover
på bageplade, mens en anden én styrter rundt. Hvorfor
griber alting altid om sig? Har kostet rundt i tre en halv
time og er alligevel ikke nået nogen vegne. M. noget.

Kl. 08.30
Kan man få 'fake it till you make it'-hjemmelavet madkurv
som take-away her i nærheden?

Kl. 09.02

Fuck. Har bittesmå boller i ovnen. Badetøj overalt. Og barn, der har smurt sig selv ind i yoghurt naturel. Og som nu render og forlanger »mire solkæm, mire solkæm«. Skal nå at overspule barn – og undertegnede, pakke alt, børste tænder gange to og stå nede på gaden om 28 minutter.

Har brug for hjemmehjælp. NU!

Kl. 09.40

Hvordan skal jeg komme ned m. alt det her? Hvordan? Kan også bare lade Natascha køre og ringe efter 3x34. Om en times tid.

Kl. 09.51

Ha! Vi er af sted. Vi er faktisk af sted. Nu må TV 2/Lorry godt komme forbi og filme madkurven.

Kl. 21.14

Jeg gør det aldrig mere.

Aldrig, aldrig mere.

Highlights fra første stranddag 2003:

Kl. 10.45: »Neeeiij. Madkurven!«. (Glemt i opgang på Østerbro, 55 km fra Tisvilde).

Kl. 11.13: »Her er mit telefonnummer. Ring hvis du bliver ved med at have ondt i hovedet. Jeg er som sagt virkelig ked af det«. (Stakkels mand! Sad meget uheldigt i forhold til min parasol, da den rev sig løs og tog flugten m. 60 km/t hen over strand. Dækker Alm. Brand formodet hjernerystelse?).

Kl. 11. 38: »Avavavavavavavav«. (Hvor meget salt har de hældt i det her vand? Nybarberede ben definitivt dårlig idé).

Kl. 12.11: Skidesikre badebukser duer. Holder tæt. Helt tæt. Indtil man begynder at tage dem af. Og pludselig har lort over to kvadratmeter eks-blomstret vattæppe.

Kl. 13.30: »Vil du have en is, Bjørg? Er du helt sikker på, at det skal være dén store én? Ok så. Pas på du ikke taber den ned i san... ej for helvede Bjørg. Den var dyr, den dér, den var!«.

Kl. 13.45: »Prøv nu at gå UDEN om tæppet Bjørg med alt det sand«. (Eller over på Nataschas, som stadig ligner afdeling i Justitsministeriet. Tjekket nok til at hun kunne invitere hele sin VL-gruppe herud til te, mens mit ligner Sarajevo 1994).

Kl. 14.13: »NEJ Bjørg, NEJ! Mine SOLBRILLER!!!«. (Guccibrille * maj 2003, † juni 2003).

Kl. 16.30: »Tak for i dag, det var ikke spor hyggeligt, lad os gøre det snart igen«.

Kl. 21.17
Sidder nu i sofa. M. sand i øjenbrynene og skoldede lår. Tror bare jeg går i seng. M. alt tøjet på. Skal heldigvis på arbejde i morgen.

100 meter hæk for kvinder

Tirsdag kl. 13.12
Tager ikke derhen.

Kl. 13.21
Det er sikkert skide billigt. Men jeg TAGER ikke derhen.

Kl. 13.41
De tager heller ikke dankort.

Kl. 14.01
Ja, ja, ja. Jeg HAR hørt det. 'Rützou inviterer til kollektions-salg'. Og jeg siger nej tak.

Kl. 14.31
Det ligger ellers lige på vejen hjem. Og min mor henter Bjørg i dag.

Kl. 14.53
Og det ER sikkert skide billigt.

Kl. 15.12
Hun laver nu nogle ret pæne ting.

Kl. 15.37
Man kan også vende det om og sige: Hvor stor er faren lige, når de ikke tager dankort.
   Kan bare lade være at hæve penge på vejen derhen. Ko-ster jo ikke noget at kigge.

Kl. 15.38
Vel?

Kl. 15.41
Trænger faktisk t. nyt sommertøj. (Løgn, løgn, løgn).

Som enlig forsørger faktisk temmelig fornuftigt at købe sit tøj en gros i stedet for t. fuld pris i butikkerne. (Løgn, løgn, løgn. Går jo bare i butikker bagefter. Også).

Kl. 15.43
De åbner om sytten minutter.

...

Arj, dropper det. Har masser af arbejde. Og tøj.

Kan heller ikke bære at se mit dyre Rützou-tøj (købt på 'Store-jeg-skider-på-det-hele-og-9000-kroner-er-ingenting-Dag') sat ned til 45 kroner.

Bryder mig faktisk heller ikke om lagersalg.

Så kan ALLE jo købe Rützou.

Kl. 15.51
Fuck, nu render de med alt det gode.

Af sted.

Kl. 15.57
Stopper lige v. automaten på Nørreport. Hæver kun 1.000.

Kl. 16.01
Sådan.

Kl. 16.03
Ved du hvad? Det er sgu for ærgerligt at stå og mangle en 50'er.

Hæver lige 2.000 mere på Nørrebrogade.

Kan jo bare sætte dem ind igen i morgen (løgn, løgn, løgn).

Kl. 18.40
Gik galt. Gik rigtig, rigtig galt. Har købt t. langt over kvalmegrænsen. Gik totalt gammelrosa.

Skovlede voksenkluns ind for 2.850 kroner. Plus hele børnekollektionen t. Bjørg. Plus tylnederdele t. os begge.

Kan nu tilbringe sommer som fucking gammelrosa mor-datter buket. Lille Tyl og store Tyl.

Hvor kikset, altså!

Meget, meget dårligt koncept at tage kolossalt, købedygtigt udsnit af Storkøbenhavns kvinder, proppe dem ind i alt for lille lokale og sætte varerne alt for meget ned.

Kunne mærke optræk t. noget hæmningsløst allerede nede på vejen. Tog tilløb i elevatoren og kom buldrende ind i lokalet som svedende Terminator. I hælene på 300 andre kvinder, der havde parkeret kone-Polo'erne nede i Ravnsborggade.

Kørte i fuld fart ned langs bøjlerækkerne, bladrede m. øjnene og ragede alt ned i størrelserne 38 og to år.

Læssede hele bunken over venstre arm, mens højre arm arbejdede ude i stativerne. Nåede næsten hele det første lokale, inden det begyndte at prikke i venstre hånds fingre. Efter andet lokale var den helt død. Armen.

Ligesom indre kalkulator, der brød sammen allerede efter 15 minutter. Og herefter kun kunne lave ét regnestykke: Jo mere tøj i bunken, jo flere penge sparet.

Lynprøvede alt foran fællesspejlet. (Ha, det er da godt, man ikke har sådan en mav... ARRRGG, det er min egen!).

Prøvede at være hård v. mig selv i grovsorteringen.

Lykkedes ikke. Endte i kassekøen m. 15 stykker tøj over armen.

Kunne overhovedet ikke regne ud, hvad det ville blive. Men måtte i hvert fald have sparet i omegnen af 20.000 kroner. (Som man jo så kan bruge til noget andet...).

Havde selvfølgelig ikke kontanter nok. Måtte deponere fire poser v. kassen. Og halse ned t. automat. Igen. Sammen m. alle de andre, der heller ikke havde medbragt realitetssans. En slags 100 meter kollektions-hæk for kvinder.

Nå. Lige meget.

Man har kun det liv, man selv køber.

Kl. 21.43

Har Hillary g-punkt?

Fandeme ikke til at finde ud af m. hende. Ligner én, der er beklædt m. teflon indvendigt. Men er jo gift m. Bill. Som må have en vis træning. Efter mange års udenomsægteskabelig punktsøgning. Den mand har formentlig et gv, der er mindst lige så langt som hans cv.

Hvad foregår der i dét ægteskab? Ikke til at bære, hvis det bare er et brainmarriage. Der SKAL være sex. Ellers spild af Bill.

Og så vil jeg have ham. (Could you pass me the Bill, please).

Fredag kl. 22.40
FOR FANDEN, altså. Rützou i ruiner.

Har fået barn tilbage fra biologisk far. Med samt nyindkøbt børnekollektion. Vasket på cirka 60 grader. (Formentlig sammen m. en hel masse sort fotograftøj). Ikke længere romantisk gammelrosa. Nu bare kloakgråt.

Hader ham.

Hader, hader, hader ham.

Hadede ham stadig, da han ringede op. Og ville planlægge sommerferie m. Bjørg. Ville gerne have hende med til Bulgarien i 14 dage. Hvor han har en opgave i juli.

14 dage! Hvad skal hun i Bulgarien? Holde stativet, mens han fotograferer? Eller ekspedere i mørkekammeret?

Brugte fem kvarter på at forsøge at klappe stavelserne for ham: Barn på knap to år, der bor hos biologisk mor, skal ikke være væk hjemmefra i 14 dage.

Lykkedes ikke.

Blev bare ved med at spørge, hvorfor jeg så selv kan tage i sommerhus med hende i tre uger. Fordi der er hun sammen m. mig. Og det ligger i Danmark. Så han kan komme og være sammen med hende undervejs, hvis han vil.

Århhhhh. Nogen må overtage de her forhandlinger. Som i Thorvald Stoltenberg. Eller Boutros Boutros Ghali.

Kl. 00.12
Nå.

Endte m. at indgå køligt forlig. Freelancefar holder sommerferie m. datter to gange én uge. I Danmark. Og skal ultimo juli aflevere fotodokumentation for, at hun har haft det godt. Plus erstatte børnekollektion fra Rützou.

Til fuld pris.

Urlaub m. hedekrat og panorama

Onsdag kl. 21.36

Nå.

Må hellere finde ud af, hvor vi skal holde sommerferie.
Er formentlig lidt sent ude. Har ferie om ... fuck ... halvanden uge.

I en hel måned.

Kan man leje det dér Legoland?

Kl. 21.54

Altså! Hvad skal vi egentlig?

Kan ligesom ikke tage til Club Sanseløs på Ibiza m. to-årig.

Har heller ikke rigtig nået family resort-alderen. I hvert fald ikke psykisk. Kræver også devoted familiefar i blå plastik-tøfler og kopi-badebukser.

Bali?

For dyrt. Og for farligt. Mest for dyrt.

Rafting?

Ikke rigtig, vel. (»Sæt dig så NED, Bjørg. Og tag din styrthjelm på. Nej, du kan IKKE tegne her! Mor har en oplevelse nu, ikke«).

Ville helt klart helst komme hjem efter en måneds rundrejse i Sydamerika m. Bjørg på motorcykel. M. solblegede øjenbryn og saltvands-stiv lædersnor om håndleddet.

Og så selvfølgelig sadeltaskerne fulde af notater til en bog, der kommer til november. I 40.000 eksemplarer. Med titlen: *Så så man lige mig med en to-årig i sidevognen – En alt for personlig roadroman fra Andesbjergene.*

Hm. Ja ...

Ville også være virkelig blæret at kunne underholde om turen t. alle havefesterne i august. Om skorpion-dramaer, spansktalende Bjørg m. bandana (»Hun er bare blevet SÅ meget større på den tur«) og de lange, tavse mor-barn-etaper over sletterne.

Orker bare ikke rigtig at tage derover. Har heller ikke bandana og biker-primus. Eller lyst.

Overhovedet.

Kl. 22.13

Fuck.

Jeg vidste det. Det ender altid med en Gilleleje-model. Går på nettet og finder et sommerhus. www.novasol.dk. 'Klik musen hen over det ønskede land'. Well. Danmark. Ikke specielt wanted. Men muligt.

Nå, nå, nå. Skal åbenbart først gennem paratvidentest om eget liv:

Ankomstdato? Om et øjeblik. Altså 5. juli.

Afrejsedato? 2. august.

Max. pris? 1.200 kroner pr. uge. (Går den, så går den).

Antal stjerner på skala fra 1-5? 5. Helt klart 5.

Antal personer? Én betalende, én mindreårig og så en sværm af overnattende gæster. Håber jeg. (Så ser man lige mig komme svingende ned ad havegangen i noget hvidt viscose »Heeeeej – I fandt det!«).

Afstand til vandet? 100 meter. Max.

Swimmingpool? Ikke vigtigt. Vi bor jo lige ved vandet.

Whirlpool? Ja, for fanden. Hvorfor ikke? (Hvad er det nu lige, det er?).

Gratis badeland? Ikke nødvendigt. Bliver fantastisk vejr.

Båd? Nej, tak. Har ikke fritidskasko. Og måske er der ikke kystsikret.

Sauna? Underordnet. Det bliver fedt vejr.

Tv? Absolut.

Parabol? Absolut.

Brændeovn? Nix, vi griller. Og i øvrigt bliver det SÅ fedt vejr.

Panorama? Ud mod hvad? Nå, ligegyldigt. Jeg tager det. Lyder godt. (»Hey, kommer I ikke op? Jeg har panorama!«).

Område? Lægger hårdt ud. Nordsjælland. Only.

Søg!

Hm. 'Ingen ledige huse fundet med de valgte søgekriterier'. Nå, var også kun for sjov m. de 1.200 kr. Prøver m. ugepris på 3.000.

Søg!

Nå. Hm. Er selvfølgelig også sent ude.

Må vist til foret. 12.000 så. Piller også lige en stjerne af.

Altså, helt ærligt. 'Ingen ledige huse fundet med de valgte søgekriterier'. Undskyld, men skal man være tysker for at leje et sommerhus i det her land?

Okay. Mit sidste bud: Zwanzig tusind kronen. Ud med panorama, ud med parabol, af med to stjerner og en kilometer længere til stranden.

Søg så!

HVAD?

'Ingen ledige huse fundet med de valgte søgekriterier'.

Er det et tomt selskab det her, eller hvad foregår der? Har fandeme nærmest søgt hus uden indmad og omgivelser.

Næste www. 'Sommerhus i Danmark'.

Hæ. Her kan man også få opvaskemaskine.

Hvad vil jeg give? 4.000 kr. om ugen. Og max 2.000 meter t. vandet.

'Beklager. Der var ingen ledige ferieboliger, der passede til søgningen. Prøv at ændre kravene og søg igen'.

Story of my life.

Okay, så. 'Max. tre kilometer til stranden' og '12.000 kroner eller derover'. Kan snart lige så godt sidde herhjemme indsmurt i solcreme og æde 100-kronesedler.

JA. Der er et hus i fælden. Guldvangen. Houstrup. Nørre ... Nebel? Tre kilometer til stranden. Skidt, har måske helikopterservice i området. Koster kun 13.327 kroner for hele perioden. Og der er hedekrat. Og solarium.

Årh, for fanden. Det er derfor. Det ligger i Sønderjylland. Der vil jeg ikke være i en måned.

VIL til Sjælland. Eller øerne.

'Beklager. Der var ingen ...'.

Jeg er skredet.

Kl. 22.40

Okay. Giver lige det dér net en chance mere. Ny udbyder. www.cofman.com. Lyder ligesom hostebolche.

Max pris? IKKE vigtigt.

Markér evt. krav til huset: INGEN. Jeg er mør.

Søg!

Så, du. Fire huse. To af dem i Nordsjælland. Altså Græsted. (Er det kikset?).

Et blåt træhus. Og et rødt. (Hvad er der galt med dem? Hvorfor er de ledige?).

Tager sgu det blå. Godt nok lidt langt i det. Men der er mikroovn. Og wc.

Så. Book hus.

Jeg VIDSTE det. 28.292 kroner for hele perioden.

Bliver i så fald nødt til at kapre milliardær på scor.dk. (Glem det. Gider ikke sidde i Græsted og høre på Thomas Ejes gamle vittigheder hele sommeren).

Kl. 23.12

Æv.

Æv-æv-æv-æv-æv-æv-æv-æv-æv-æv-æv-æv-æv-æv.

Kl. 23.35

Kunne selvfølgelig også bare gå i Netto og købe gear t. blomstret hjemmeferie. M. engangsgrill på altanen. Og mange heldagsudflugter.

Kl. 23.49

Nej. Duer ikke. VIL have Bjørg på græs.

Tager lige en opklarende sjus. Og ringer til nogen.

Kl. 01.04

Skidebingo! Den ene uge er hjemme. I pleje hos Natascha og Victoria i Tisvilde.

3 more weeks to go.

Nå. Ordner det i morgen. Eller en anden dag.

Der er masser af tid.

JULI &
AUGUST

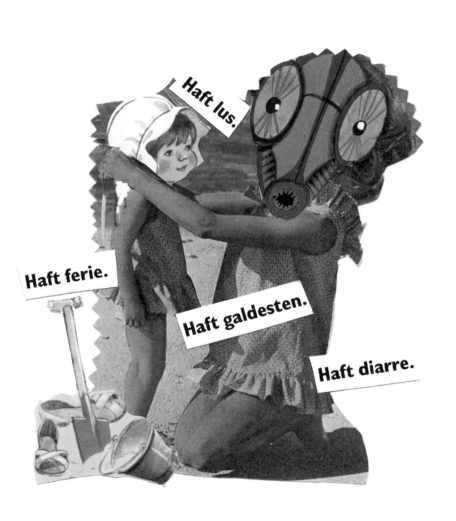

Haft lus.

Haft ferie.

Haft galdesten.

Haft diarre.

Skovrider ved et tilfælde

Mandag kl. 10.24

Hm. Er tilsyneladende blevet in m. noget galop.

Hvorfor har ingen inviteret MIG til Derby i weekenden? Vil også stå under halvtaget på restaurant Racing Club m. Frederik og Mary. Og kulturministeren. Og Eddie Skoller. (Nej, vent ... minus Brian. Og minus Eddie).

Nå. Men har tilsyneladende tabt slaget om Frede. Har vist lurepasset lidt for længe. Ser ud til, at australsk solbrille har overtaget. Permanent.

Hvornår er han egentlig blevet så lækker? Engang var han altid bare lidt yngre end én selv. Sådan én, der holdt 18-års fødselsdag, når man selv for længst var begyndt på uni. Og som indimellem råbte en tale under Rebild Festen. Et barn i jakkesæt, der dårligt nok havde fået hår under ærmerne. Er pludselig blevet mand. Overnight.

Tant pis. Never mind. Lige meget. Er stadig tre år yngre end mig. Kan ikke score nedad på den måde. Ville være som at stå m. studenterhue på og have scoret 1.g'er.

...

Prinsesse A. fylder i øvrigt 39 i dag.

Hvordan mon hun egentlig går og har det?

Sådan i det hele taget?

Kl. 12.03

Skulle man faktisk have været på det dér Roskilde Festival?

Nej, ikke rigtigt, vel. Er allerede kommet i den alder, hvor man ville tage det næstsidste tog hjem om aftenen. Eller indlogere sig på Postgården i Roskilde. Eller prøve at komme gratis ind om søndagen lige som de andre pensionister.

Orker simpelt hen ikke at have tømmermænd i telt. Må på den anden side være meget befriende at være et sted, hvor smatten ikke er én selv.

Kl. 13.12
Så. Nu ved hele virksomheden, at jeg er enlig mor. Og at vi ikke har noget sted at tage hen i sommerferien. Har efterlyst sommerhus på intranet.
Så er det bare at vente.

Kl. 13.22
Jeg har ikke fået et eneste svar. Og min sommerferie begynder på lørdag.

Kl. 13.32
Okay. Jeg går i panik. Hvor fanden skal vi holde ferie?

Kl. 13.33
Kan man komme på afbudsrejse til Irak?

Tirsdag kl. 09.14
Yes, yes, yes, yes, yes, yes. YES!
Hanne fra Human Ressource skal skilles.
Og skal derfor meget af m. det sommerhus, som hun og snart-eks har lejet på Born-fuldstændig-holm. I hele juli måned. Lovede hende, at jeg nok skal tage de tre af ugerne. Hun er jo i svær situation. Er kun glad for at kunne hjælpe.

Kl. 09.31
Bornholm?

Kl. 09.33
Der kommer jo ikke et øje og besøger mig, for helvede ...
Behøver jeg så egentlig at få vokset ben?

Kl. 09.35
Ja. Har lige tjekket egenbehåring. Og har faktisk bestilt tid om 25 minutter.

Kl. 11.00
AAAARRVVVVVVVVVVVVVVVVVVVVVVVVV!
Hvorfor kan man ikke få lattergas, når de tager bikinilinjen? M. tilskud fra 'danmark'.

Torsdag kl. 21.18

Ok. Hende Hanne har ikke ligefrem fået flere human res-
sources af den dér skilsmisse. Måtte sgu betale fuld pris for
alle tre uger. 15.000 dask. Lige ind i boet. Selv tak for hjæl-
pen.

Nå. Må hellere se at få pakket. Skal hente Bjørg sindssygt
tidligt lørdag morgen hos freelance-far. Kunne selvfølgelig
kun få billetter til dagfærgen. Syv wunderbare timer i blå
salon. (Sig det så! Hvorfor tager det kun seks timer den
anden vej? Går det ned ad bakke?).

Jubiiii. Telefon ringer. Gid det er nogen.

Fredag kl. 11.43

Puha, tømmermænd. Skulle helt klart have pakket. Kom i
stedet til at tage telefonen. Og råbe »Ja, skidegerne«, da
Anders foreslog, at vi skulle tage en øl på Sankt Hans Torv.
Mødte alle mulige. Og gav øl t. endnu flere. Farvel ferie-
budget. Og farvel selvrespekt. Aner ikke, hvordan det gik
til. Men endte fandeme på Skovriderkroen. I selskab m. de
aller-allersidste surfertyper fra 80'erne, alle landets ejen-
domsmæglere og det meste af Vestegnen. Plus hær af lys-
hårede singlepiger. Og tyndhårede jeg-var-engang-en-
mand-typer m. vielsesringe.

Nå. Besluttede at lave en fest ud af det. Klatrede op ad dj-
stige for at bestille noget ABBA. Slog faktisk ryggen rigtig
gement, da jeg kure-gled ned igen. Skyndte mig at grine
højt. M. tårer i øjnene.

Lod i et par timer, som om det ikke gjorde spor ondt at
danse. Blev kørt hjem i stor taxa v. 6-tiden i morges. I syge-
transportstilling. Mens Anders ridderligt tilbød at lægge
amatørdrop.

Kan intet. Andet end at spise tun af dåse og drikke tonic
til.

Kom så. SKAL pakke.

Lørdag kl. 08.03

Sidder på dæk på færge. Er tilsyneladende på vej på ferie.
Har husket bil og barn. Har til gengæld glemt alt andet.

Inklusive færgebilletter. Og mobiltelefon. Og søsygetablet-
ter.

Vil have oberstløjtnant ind i mit liv.

Eller dyrlæge.

Så klap dog i med det dér

Fredag kl. 21.34
Det var det. Been there. Haft skidetravlt. Haft barn. Haft lus. Haft diarre. Haft galdesten. Haft ferie. Haft fire ugers fucking fri. Haft Falck. Haft hovedpine. Haft selvmedlidenhed. Haft forventninger. Har virkelig haft forventninger. Som ingen rigtig stod i kø for at indfri. Har ikke fået ladet et eneste batteri op. Men kan formentlig optræde som worst case scenario i Europæiske Rejseforsikrings næste annoncekampagne.

Har for eksempel ikke:
1. Ligget v. stranden og læst *Dagbog fra Dogville*.
2. Overskudsgrillet på Nigella Lawson-måden.
3. Sovet.
4. Lyst til at leje sommerhus på Bornholm nogensinde igen.

Har til gengæld:
1. Erhvervet ph.d. i utøjs-kæmning i kategorien mor/barn.
2. Været indlagt.
3. Været sur.

Nå. Men det skal jo gøres.

Sommerferien 2003 i tal

Antal dage på ø i Østersø: 21

Solforbrændinger målt i kvadratmeter: 9

Succesoplevelser: ???
Venter lige lidt med at udfylde dén.

119

Sætninger, jeg ville ønske, jeg ikke havde haft brug for:
1. »Har I luseshampoo?«. (T. dame i Gudhjem Brugs).
2. »Hej, har I mere luseshampoo?«. (T. dame i Gudhjem Brugs).
3. »Ja, det er mig igen. Tror du, at du kan skaffe noget mere? Måske fra apoteket i Rønne? Eller fra fabrikken?«. (T. dame i Gudhjem Brugs).
4. »Hvornår kan I være her?«. (T. svensk Falck). Smutter ALDRIG mere over Ystad hjem midt om natten. Må i hvert fald som minimum have kort over verden liggende permanent i bil. Eller globus m. lys i. Bakkede kraftedeme lige lukt i grøft under 180 graders kovending på skånsk landevej i bælgravende mørke. Blev derefter halet op for 1.400 svenske kroner. (Dækker 'danmark' egentlig den slags skader? Eller er det kun tænder?).

Antal kasserede tekstiler: 3
1. Pastelfarvede Day-benklæder t. en værdi af 899 kroner. (Kan folk sgu da ikke lære at flytte deres tallerkner? I stedet for at efterlade liget af røget sild + halv æggeblomme på udsigtsbænk, hvor de jo godt kan regne ud, at jeg skal sidde om lidt?).
2. Hæklet bikini fra H&M indkøbt i løftet øjeblik. (Hvem har fået den syge idé, at man kan lægge sine bryster i trekantet, irfarvet, slap grydelap? Kan ikke gå i detaljer. Men så ud ad fuldstændigt helvedes til).
3. To par gamacher fra AL-X str. 2 år. Tre Petit Bateau-bodystockings. Og et par sart rosa blondeshorts. M. andre ord: Alt det tøj, Bjørg sked i fra 29. juli til 3. august. Og som jeg ikke magtede at bringe t. møntvaskeri i Gudhjem.

Antal overlagte karaktermord på familiemedlemmer: 22
Ni på biologisk mor i uge 29. 13 på barn fordelt relativt ligeligt ud over hele perioden.

Forventet antal besøgende i sommerhus på ø i Østersø:
Alle

Faktisk antal besøgende i sommerhus på ø i Østersø: 0.
Plus min mor.

Antal timer tilbragt på kunstigt græs under Bacardi-parasol i vandland: 6x4. (Indgang udgør største enkeltstående udgiftspost på feriebudget).

Antal eneulykker på vandrutsjebane i kæmpebadering: Faktisk kun én. (Har til gengæld stadig meget ondt i tænderne).

Insektbid: 51 (heraf 39 i hovedbund).

Sex: Så klap dog i med det dér!

Udgifter til nye solbriller: 500 (målt i euro for overskuelighedens skyld. Fik også to par. Plus etuier).

Succesoplevelser:
(Kom NU, jeg ved, I er der).
...
Nå. Skal vist over i detaljeindustrien.
1. Har antændt bål i have.
2. Og lavet snobrødsdej.
3. Og bagt det på stang m. Bjørg.

Antal indlæggelser: 1
På sygehuset i Rønne. T. observation for galdesten. Fik pludselig dræbersmerter på strækningen Dueodde-Gudhjem. Troede kraftedeme, at jeg skulle føde. Som anden 15-årig, der er for fed til at opdage det. Meldte mig selv på skadestuen. På alle fire. Og iført upåvirket toårig. Er nu registreret som potentiel galdepatient. (Sexet).

Nå. De fleste ulykker sker åbenbart ikke i hjemmet. Men på 32 grader varm kogeø i Østersø. Omgivet af underligt svenskagtigt syngende aboriginals – og altså lus. (Sidstnævnte dog egen import. Overvejer at udstede sommerfatwa mod åbenlyst ukæmmende forældrekreds på Spilopstuen).

Nå. Heldigvis snart efterår.

Skal foreløbig holde børnefødselsdag for 19 personer om 36 timer. Har kun ét sæt lagkagebunde. Og noget gammelt krymmel.

Jeg ER det svageste led.

Farvel.

... og lagkage

Søndag kl. 22.40

Nå. Kan lige så godt sætte 650 kroner og en pakke Kleenex ind på hendes børneopsparing m. det samme. Til dækning af psykologhonorar, når hun om 15-17 år møder op t. første konsultation m. åbningssætningen:

»Det startede med, at min mor valgte at vinde ballondansen til min to-års fødselsdag. Og sådan har det været lige siden«.

Var ikke meningen. Var virkelig ikke meningen. Blev bare grebet af det. Og stoppede først, da alle balloner lå som brugte kondomer over hele stuegulvet. Og en ubehagelig stilhed havde bredt sig i selskabet.

...

Begyndte ellers fint.

Var faktisk parat. M. det hele. Da 19 gæster ankom kl. 14.00. (Inklusive freelancefar og biologisk mormor i uskøn cocktail). T. varm kakao og lagkage. På årets absolut hedeste dag.

Kunne selvfølgelig have sadlet om t. hyldeblomst og vandmelon. Men nu havde jeg altså været inde hos Specialkøbmanden i Cityarkaden og forgribe mig på krymmel, kugler, lys og sukkerfigurer t. en værdi af 375 kroner.

Havde forestillet mig at flødeskumssprøjte lagkager på den ornamentagtige måde. Gik ikke. Gider ikke rigtig at tale om det, men lignede snesjap.

Gik også galt i glasuren. Egentlig skulle der bare have stået 'Bjørg 2 år'. Men tingene kom en lille smule out of hands. Og endte med at ligne en omgang vild fingermaling.

»Neeeej, har Bjørg selv pyntet lagkagerne«, hvinede biologisk mormor.

Hvad havde hun egentlig tænkt sig, at jeg skulle svare på det?

Den lede kost.

Nå. Men det var slet ikke slut endnu. Stod og røg i smug ud ad køkkenvinduet, mens købeboller kørte i mikroovnen, da Merete pludselig kom glidende ud i køkkenet og tilbød at hjælpe m. at smøre. Men der er som bekendt no such thing as a free lunch. Langsomt kørte hun fedtstoffet hen over underbolle m. nu-skal-du-bare-høre-attitude og et lummert smil. Så kom det.

»Du drømmer ikke om, hvad Hans Henrik og jeg er begyndt at gå til om onsdagen«.

Nåede ikke at parere, inden det var for sent.

Alt, alt for sent.

»Vi går i swingerklub, Nynne,« hviskede hun. Nærmest lykkelig.

»Merete, det dér tror jeg simpelt hen ikke, vi skal tale om. Med hinanden. Vel?«.

Men skaden var sket. På den stærkt billeddannende måde. Som desværre ikke kunne viskes ud igen.

Puha.

Puha-puha-puha-puha-puha-puha-puha-puha-puha-puha-puha-puha.

...

Kan folk ikke være alene m. noget som helst?

Kom kun igennem resten af arrangementet v. at undgå al øjenkontakt m. hr. og fru Handyman. Og v. at tvangsfokusere på enkle, rare ting.

Nå. Pludselig var det hele bare overstået. Sidder nu helt udmattet i en bunke gamle serpentiner. Og spiser lagkagerester direkte fra fad. Til 52 kroner pr. mundfuld.

Liste over Bjørgs fødselsdagsgaver 2003 – kommenteret:

1. Haglgevær. Fra hvem? Ja, hvem mon? Lige præcis. Manden, der lavede en Bille August på sit eget bryllup.
2. Stor led dukke uden ansigtstræk (Hitlers aflagte?) i klam, klam dukkeseng m. nylonsengetøj i migrænefarver. Har forgæves forsøgt at strejfe det hårdt m. en tændt cigaret hele eftermiddagen. Fra hvem? Ja, hvem mon? Lige præcis. Hader den kælling. Nogle gange.

3. Bokssæt m. samlede Beatlesudgivelser?! Fra hvem? Gæt. No wonder vi ikke er kærester længere. Hvad er det lige, han forestiller sig? Det er sgu en børnefødselsdag det her. Ikke et trendopslag i Wallpaper.
4. Undertøj. Svært at mene noget om.
5. Børnenes Postkontor. Fra Merete og Handyman. (Havde lyst til at fjerne det fra gavebord m. tang. Hvor har det lige været sidst?).
6. Den FEDESTE trehjulede cykel fra Winther. Arj, hvor er det en god idé. Fra hvem? Guess hvem.

Kl. 22.46
Swingerklub?

Kl. 22.47
SWINGERKLUB?

Mandag
Hæ. Har fundet noget godt. På dåse. Gevalia Icepresso i lille, lortebrun cylinder. Kvalificeret sommererstatning for Latte. Godt nok skidedyr. Men smager lidt af Milano. Og udlandet.

Må leve med, at det skal købes i 7-Eleven af overvægtig, syngende andengenerationsindvandrer. (»*It's sad, so sad, why can't we talk it over* ... 60 kroner ... *What do I do to make you love me* ... Hej«).

Tirsdag
Har tænkt på noget. Hvorfor ville alle partout være den lyshårede i ABBA?

Onsdag
Undskyld, men hvad SKER der ovre i servicebranchen i øjeblikket? Tog helt alm. taxa hjem fra middag hos Natascha. Chauffør lagde relativt fredeligt ud med at spørge, om det var mig, der havde bestilt en taxa til 'nimmer nutten'. (Det er fandeme begavet. Hvor får de det fra?).

Forklarede dernæst, at hans stemme blev dybere og dybere, jo længere til venstre han lagde sig på kørebanen. Gav bizar demonstration ud ad Østerbrogade. (»Se, herinde er den helt almindelig. Men så JOOO MEEERE JEEEG SVIIIINGER HEROOVER, JO DYYYYBERE BLIVER DEN«).

Slog til sidst over og blev sentimental. Insisterede på at holde ind til siden, slå taxameteret fra og vise billeder af sin afdøde Collie. (»Det var sådan en dejlig hund, se lige de øjne«). Jeg kvitterede med »*it's sad, so sad,* og her er 60 kroner«.

Nu må de fandeme se at få styr på det dér distriktspsykiatri.

Torsdag
Hmm. Har fundet noget godt. Igen.

Henne i vuggestuen. Som i nogens far.

Må man det?

Kom så, blev der sagt!

Mandag kl. 05.45
Ja. Er oppe. Er faktisk oppe. M. fuldt overlæg.
Har date i vuggestuen om to en halv time.
Eller noget.
Indledte i torsdags – forhåbentlig livslang – samtale m.
fan-fuldstændig-tastisk far t. dreng i børnehaven. Pæn.
Rigtig, rigtig pæn. Og sjov. Og klog.
Mødte ham v. glemmekassen. Stod højlydt og ledte efter
Bjørgs svømmevinger, da han pludselig sagde:
»Jeg synes, du havde dem på, da du cyklede herfra i
går«.
Kom til at grine alt, alt for højt. Især da jeg så, hvor læk-
ker han var. På Flemming Enevold-måden.
Måske må man pludselig få en voksen.
Mødte ham igen fredag morgen. Blev nærmest genert, da
han bukkede sig ned og begyndte at snakke m. Bjørg. Smi-
lede så længe til mig, da han gik, at jeg nærmest blev skudt
bagover og var v. at lande sammenfoldet i Bjørgs gardero-
berum.
Godt nok lidt forbudt fornemmelse at flirte hen over
madkasser og mindreårige. Burde kun tale om riskiks og
rytmik i det regi. Og huspriser i Brønshøj.
Men der er altså et eller andet.
Nå. Tiden flyver.

Skal nå at:
Rede hår. (Også bagpå).
Slippe af m. morgenånde.
Reparere lak på tånegle.
Være virkelig velklædt. Og sexet (Uden at virke porno).
Finde udstråling (Helst én, der virker afslappet og travl).

Kl. 06.13
Er det lige i overkanten? Når jeg kun har set ham to gange
fem minutter?

Er det også lidt tarveligt? Eller faktisk meget tarveligt?
Måske er han nogens.

Kl. 06.17
Kunne også bare være ordentlig. Og gå ind og sove en time
til.

Kl. 06.19
Sorry. Så stor er jeg ikke.

...

Hvad skal jeg tage på?

Kl. 07.02
Forfra. For helvede. Er pludselig bagud m. alt. Lak på tå-
negle kunne IKKE repareres, vel. Godt nok et rødt mare-
ridt at få månedgammel rouge noir-lak af. Ligner én, der er
trådt op i en bakke smattede kirsebær. M. begge fødder.
KAN ikke gå af. Kan måske slides væk på tre uger. Har
bare kun syv minutter. Max.
    Må lave acetonefodbad.

Kl. 08.11
Åhhh, nej. Havde glemt Bjørg. Hun skal jo også være klar.
Kan bare mærke, at hun ikke er lige så indstillet på det her
som mig. Hvor er det kompetente barn, hva? Sidder bare
og pensler gulvet m. våde cornflakes, mens en anden én
styrter rundt og forsøger at fremtidssikre.

Kl. 08.44
»Så. Ud af døren, Bjørg«.

...

»UD AF DØREN, BLEV DER SAGT«.

Kl. 09.29
Øv. Han var der selvfølgelig ikke. Det var hans søn til gen-
gæld. Så der var ligesom ikke nogen grund til at daske rundt
på stuerne i Munthe+Simonsen-outfit hele formiddagen.

Vidste ikke, han afleverede så tidligt.

Nå, men så er han i hvert fald ikke arbejdsløs.

Tirsdag kl. 05.45

Ja. Er oppe. Igen.

Same procedure as i går.

Kl. 09.23

Arj, ved du hva'. Var der fandeme heller ikke i dag.

Bjørg lignede ellers en milliard. I DYR og afslappet Roh-de-kreation. Og jeg var i næsten tør Cultura-top. (Lidt spild at jeg stejlede ud af sengen kl. 2 i nat for at håndvaske den).

Nå, livet går på en måde videre. Er også lidt på arbejde.

Kl. 13.17

Undskyld, men hvad foregår der henne i popbranchen i øjeblikket?

Forstår på Se & Hør, at to ud af fire Aqua-medlemmer er begyndt at slå ud efter omverdenen.

Drop det, Dif og Barbie. Det er Susanne Lana, der har rettighederne t. at forsøge comeback på den måde. Var hele min barndom affotograferet hver eneste uge over dobbelt-side m. skævt smil og 40 sting i ansigtet.

Onsdag kl. 05.45

Oppe.

Kl. 08.12

He better be there. Er iført mit sidste pæne sæt tøj. Vær nu sød og kom, blev der sagt.

Kl. 09.23

Kapitulerer. Overgiver mig. Smider håndklædet i ringen. Færdig m. mig. Er totalt udkonkurreret.

Nogen afleverede hans søn i dag. Må nok indse, at det var hans mor. Altså drengens.

Satans-satans-satans.

Var lammende pæn, konen. Smuk faktisk. Man skal mindst op kl. 03.00 for at nå at komme til at se sådan ud. Indisk i tøjet på Hellerup-måden. Og pissehvide tænder. Ligger garanteret med klorinskinner om natten. (Gad vide, hvor længe emaljen kan holde til det?).

Øv.

Øv-øv-øv-øv-øv.

Kl. 21.15

Fandeme dårlig dag det her.

Havde lige fået mine weekender tilbage. Og så kommer det. Det nye Ikea-katalog. Så skal man til at blæse t. Gentofte-skråstreg-Vangede igen hver lørdag. De finder åbenbart én alle vegne. Helt umuligt at starte nyt, smagfuldt liv på den måde.

Kl. 21.18

Åhhh, nej. Hvem ringer nu?

»Hej Merete«. (Jeg vil IKKE høre om det. Blev der sagt).

»Nynne, tak for sidst. Nå, men jeg ville bare lige fortælle dig færdig om det dér, vi er begyndt at gå til. Det er altså SÅ ...«.

»Det er det, ja, helt sikkert. Men ved du hvad, jeg ringer lige tilbage. Om ... på et tidspunkt, ikke. Jeg står lige midt i ... jeg har simpelt hen rigtig, rigtig travlt, Merete«.

...

Kan hun ikke få et tilhold af en slags?

Torsdag kl. 08.20

Ja. Er opp... fuuuuck.

OP-OP-OP-OP-OP-OP.

Og af sted. Bjørg skal på tur m. vuggestuen om ti minutter.

Kl. 09.34

Jep. Selvfølgelig. Så var han der. Rigtig dejligt for mig at møde ham igen. Storsvedende. I klip-klapper og natbukser. Der ER ingen retfærdighed til.

»Hvor har du været?«, kom jeg så også lige til at sige.

Nå, men han hedder Niels. Og han afleverer kun tre gange hver anden uge. For han er nemlig SKIIIIIIILT.

Hvor heldig kan man være?

Kl. 10.19

Niels.

Niels?

Niels ...

Lyder det ikke lidt ... blegt? Som i: Jeg mangler røde blodlegemer.

Hvem hedder ellers Niels? Ud over Helveg?

Kl. 10.20

Arj, tænk hvis han i virkeligheden hedder Niels Jørgen?

Må jeg tage
et billede af dig?

Mandag kl. 09.31
»Godmorgen Nynne. Skal du til nytårsfest?«.

Klap i. Albinomund.

Gider ikke at have det Nickhoved som chef længere.

Kunne han i øvrigt ikke snart anskaffe sig nogle læber? M. blod i.

(Fik hævn ti minutter senere. Da afdelingsleder i Kulturministeriet ringede og spurgte efter Nick Petersen. Og jeg havde fornøjelsen af at svare: »Han er her ikke lige nu. Jeg tror, han er gået ud for at lave«).

Nå. Er måske også lige lovlig velklædt. Kan i hvert fald ikke huske, hvornår jeg senest har været iført lang, sort kjole m. spaghettistropper på arbejdet.

Var nødt til det. Har jo været i vuggestuen. Mit nye scorested.

Prøvede at være lidt sensommer-lækker på den dyre måde. Har gledet rundt ovre i daginstitution som nedringet spøgelse hele morgenen. (Bør nok få lagt kjole et par centimeter op v. lejlighed).

Nå. Han kom heldigvis. Men havde travlt. Nåede desværre ikke at spørge ham om noget som helst.

Such as:
»Må jeg tage et billede af dig?«.

»Hvor lang tid er der, til du fylder 50?«.

»Er det ikke utroligt, at man pludselig OVERHOVEDET ikke længere kan se, at ens ekskone er pæn?«.

»Kan det virkelig være rigtigt, at du først kommer igen torsdag i næste uge?«.

»Og hvad skal jeg lave indtil da?«.

Kl. 11.36
Hvad mon han er? Altså uddannet?

Han må godt være arkitekt. Rigtig gerne faktisk. (Er altid lækre. Og gode t. at tegne).

Han må også godt være forfatter.

Men må ikke være sådan én, der forsøger at komme ind på Filmskolen. Hvert år. Må heller ikke være sygeplejerske. Eller ansat i Dansk Cyklistforbund. Eller i det hele taget skifte t. mere behagelige sko, når han kommer på arbejde. Han må godt være headhuntet. Til noget. Og han må også godt være chefredaktør.

Han må IKKE have sin egen café. Og han må heller ikke være inden for herretekstil.

Kl. 13.17

Nå. Gider ikke at være her. Kan alligevel ikke arbejde i den her kjole. Går lige lidt ud i gadebilledet m. Anders.

Kl. 14.49

Hold kæft. Vi så Cliff Richard på café v. Kgs. Have. Viste sig dog v. nærmere eftersyn bare at være Peter Asschenfeldt, der hentede caffè latte.

Tror simpelt hen ikke på, at han ikke har espressomaskine på kontor. Ville nok bare ud og vise løft & sug.

Nå, men skaffede i hvert fald vinterstøvler. Hvad fanden sker der ovre i skotøjsbranchen i øjeblikket? Fik det sidste par. Og det er ikke engang sep-fucking-tember.

Endte i et par, der er så høje, at jeg kommer til at gå foroverbøjet gennem hele vinteren som jävla King Kong-parodi m. spidse ruskindsfødder.

Var til gengæld dyre. 900 pr. ben.

...

Hvornår kommer der børnepenge?

Kl. 15.06

Åhh, nej. Bare han ikke er keramiker.

Tirsdag

Nu kan det være nok. Gider ikke blive talt ned til. Heller ikke elektronisk.

Har lige fået mail fra personaleafdelingen: 'Supergodt tilbud til alle medarbejdere med humor. Kom ind og se Linie 3 i deres forrygende 25-års jubilæumsshow med personalerabat'.

25 år. Burde det ikke sige Anders, Preben og Thomas et eller andet? Bare et eller andet? Som i efterløn.

Hvor tung må sådan en bandbus egentlig være?

Og så m. Jan Glæsel som kapelmester.

Måske er Miriam opvarmning. På grill.

Onsdag
Burde der egentlig ikke arrangeres høstfest i den dér vuggestue? Evt. uden børn. Men sammen med forældrene i børnehaven, naturligvis. Det ER jo en integreret institution.

Torsdag
Gud. Har Brian et? Altså Mikkelsen? Eller har ungkommunisterne også taget det?

Som i: »Hej, jeg hedder Brian. Uden G«.

Fredag kl. 16.41
Fuck. Det er for nemt. Det er altså for NEMT, Carpark.

Blæste ud i ISO for at købe Liberobleer på tilbud efter arbejde. Uden at stille p-skive. Helt ærligt. 510 kroner. Kunne have købt tre pakker bleer t. fuld pris i 7-Eleven for det beløb.

Nå, må ned i vuggestuen. Næsten synd, hvis Bjørg skal holde weekend på Spilopstuen.

Kl. 17.24
Hold kæft, han er børnelæge.

Pressede pædagogmedhjælper fra børnehaven op i legehjørne. Og pumpede hende. Om alle stuens forældre.

Kl. 17.25
Hm.

Kl. 17.26
Kan man fake orgasme over for en læge?

SEPTEMBER

Nynne Mathiesen?

Goddag, mit navn er Marianne Gram

Fredag kl. 14.12

Altså.

Hvordan kommer man videre m. det her?

Har nu timeshare-flirtet m. far til fremmed barn i ugevis. Faktisk meget svært at score i institution. Overvåget af indiskrete, savlende børn i lavmotorikalder. Og i fuldt dagslys.

Kl. 14.13

Kan jeg invitere ham ud?

Nej. Definitivt nej.

Kl. 14.14

På en kop kaffe? Bare?

Nej. Duer ikke. Vil SELV scores. Gider ikke at være manden. Allerede.

Kl. 14.15

Kan jeg sende ham en mail?

Måske.

Nu?

NU?

Det kunne jeg vel strengt taget godt.

Hvis jeg kendte hans e-mail adresse.

Kl. 14.16

Kan vel skaffes.

Kl. 14.19

»Goddag, mit navn er Marianne Gram. Er det Glostrup Sygehus' børneafdeling? Godt. Har I en læge ansat hos jer, der hedder Niels Mathiesen? Okay ... Nej ... Godt ... Ja ... Fint ... Tak for hjælpen ... Hej«.

One down.

»Dav, har du mulighed for at se, om Gentofte Sygehus har en børnelæge, der hedder Niels? ... Niels Mathiesen ... Nej, nej, nej, du behøver ikke at stille mig op ... kan du ikke se det nede fra omstillingen? I computeren, altså? ... Ok. Tak skal du have ... Nej, jeg prøver et andet sted, så«.

Hm. Hvad har vi så? Hvidovre?

Kl. 14.27

Hov. Prøver sgu da lige www.degulesider.dk.

Kl. 14.29

Ja, fint. Der er så lige 23 Niels Mathiesener i Storkøbenhavn.

(Hvis det er ham, der bor på Jægerbuen, gider jeg ikke alligevel).

Kl. 14.31

Nå. Videre. Hvidovre.

»Goddag. Jeg hedder ... nej, jeg mener, har I en læge, der hedder Niels Mathiesen ... børnelæge er han ... nej, det ved jeg ikke ... men han har en dreng ... der går i børnehave ... Nej, selvfølgelig ikke, det var også bare, hvis ... Nej, godt, så. Farvel«.

Helt ærligt. Det her er latterligt. Jeg er 39 år. Få dog et liv, kone. Og pas dit arbejde.

Kl. 14.39

Riget, for fanden! Han er jo på cykel, når han afleverer.

...

Cykel? Er det godt eller dårligt?

Er jo så nok ikke professor m. egen parkeringsplads next to ambulancerne.

Eller også bruger han den bare ikke. P-pladsen.

Har måske tjenestepenthouse på Frederik V.'s Vej. Ligesom Gösta P. og dem. Klos op ad Fællesparken. (Så ser man lige mig på altanen. M. solbriller og Ugeskrift for Læger ...

»Ni-els, har du set, de skriver om den dér nye scanner, skat?«).

Kl. 14.43
»Dav, I har vel ikke en børnelæge, der hedder Niels Mathiesen? ... Har I? ... Godt! Virkelig godt! ... ... NEJ, IKKE STILLE OM! Jeg skal bare have hans mailadresse ... Det er fordi ... min datter har det ikke så godt ... ja, jeg venter her ... JA? ... nmathiesen snabela rh punktum dk ... tak skal du have... Arj tak!«.

Jeg har den!

Jeg har den – jeg har den – jeg har den – jeg har den – JEG HAR DEN!

Kl. 14.45
Hvad nu?

Kl. 14.47
'Kære Niels' (For højtideligt).

'Hej Niels' (For friskt. Og 70'eragtigt).

'Kære Niels Mathiesen' (Måske lidt formelt).

'Niels' (For intimt).

'Til Niels' (... fra Nynne. For juleagtigt).

'Nillermand, frække fyr' (Ja, flot. Den tager vi, Nynne!).

...

Arj fuck, kan ikke finde ud af det her. Tør heller ikke alligevel.

Må også tænke på mit ry i vuggestuen. Og Bjørgs.

Tænk, hvis han siger det til lederen? Og jeg bliver bedt om liiiige at tage den lidt med ro i afleveringssituationen.

Nå. Har heller ikke tid til det her. Skal forberede mig mentalt. Får Merete på besøg i aften. Må have fældet alle mindreårige, inden hun kommer. Har på fornemmelsen, at det bliver en 'tilladt over 16 år'- samtale.

Ikke for noget. Men vil altså virkelig gerne være fri for at høre om hende og Handymans småborgerlige udskejelser.

Kl. 00.12

Jeg vidste det.

Jeg VIDSTE det.

Hun begyndte kraftedeme nærmest allerede at tale om det over dørtelefonen.

Hvorfor skal hun være så ÅBEN om det dér?

»Det er jo oppe i tiden, Nynne. Og det er helt, helt almindelige par, der kommer der. Folk, du ser i Føtex«.

(Ja. Hvornår har man lige sidst set nogen i Føtex, man bare MÅTTE i seng med?).

»Og de respekterer FULDSTÆNDIGT et nej. Ikke at jeg har haft brug for det endnu ... du ved, ha, ha ... Og der er faktisk MANGE dejlige singlefyre dernede. Og nu skal jeg fortælle dig noget ...«.

(NEJ, NEJ, NEJ, NEJ, NEJ, NEJ. Havde lyst til at hente en gammel avis, hun kunne sidde på).

»Du ved jo godt, at jeg altid har haft mere ... LYST end Hans Henrik ...«.

(NEEEEEJ).

»... og derfor er vi blevet enige om, at jeg tager derhen alene hver anden onsdag. Det bliver ligesom FOR MEGET for Hans Henrik at komme der hver uge. Og Nynne ...«.

(HVAD?).

»... jeg er sikker på, at det også ville være noget for dig. Vi kunne jo lave en pigetur en dag. Hvad siger du? ... Så kunne du lige snuse til det«.

...

Hvordan skal jeg nogensinde kunne ringe og få gode råd om skoldkopper og øreproblemer hos hende igen?

Skal i hvert fald ALDRIG mere ringe hende op på mobilen.

Nå. Sendte swingerdronningen retur t. forstæderne. Og gik i bad og prøvede at spule samtalen af.

Kl. 00.51

'Kære Niels,

Man kunne indlede denne her mail på 10.000 akavede måder.

Og det gør jeg så.

Jeg har desværre ingen vigtige beskeder fra forældrebe-styrelsen. Jeg har heller ikke nogen akutte børnesygdom-me. Derfor får du den enkle version: Skal vi drikke kaffe sammen en dag?

Kærlig hilsen
Nynne'

Kl. 00.52
Send.

Kl. 00.53
Hjælp.

Kl. 00.54
Hjææææælp!

Intet nyt i indbakken

Søndag kl. 06.41
Sidder her i hængepatter og morgenkåbe og glor dødt ind i computerskærm, mens andre folk er på vej hjem fra barer og one-night stands. Eller bare ligger og sover i arm. M. nogen.

Det her er ikke godt.

Det er virkelig ikke godt.

Hverken mentalt eller i indbakken.

Har nu it-bevis på, at jeg vitterligt ikke HAR noget liv.

Hvor important er man lige, når weekendens høst af mail begrænser sig t. nyt fra Brugsens medlemsbutik, septemberbrev fra Body Shop og et knaldtilbud fra Icelandair, man ikke har bedt om. (Hvor fanden har de dér islændinge min mailadresse fra?).

Om præcis ti minutter er det en realitet. Så HAR jeg fået en afvisning. Så har han ikke svaret i 30 timer.

Kl. 06.47
Det var jo ikke sådan her, det skulle være, vel. Det var jo HAM, der skulle tage initiativet.

Hvorfor skulle jeg nu være sådan? Igen?

Hvorfor ser man altid lige mig komme brølende i tredje gear og råbe »Hit med alting?«.

Æv.

Forlod overhovedet ikke matriklen i går. Selv om det var lang lørdag. Turde ikke gå fra computeren. Tænk nu, hvis han svarede. Og kun kunne mødes m. mig lørdag – og jeg så bare var gået i Illum.

Føler mig som Aung San Suu Kyi. Uden særlig glorværdig sag.

Kl. 07.48
Ja. Sidder her stadig.

Spiller lidt minestryger.

Kl. 07.51

Hvad skal jeg gøre, når min redningsvirus Sobig F. destruerer sig selv?

Så bliver der godt nok tomt i mailboksen.

Kl. 08.13

Arh, SELVFØLGELIG.

Han kan ikke læse mails derhjemme. Så han ser den slet ikke før mandag morgen.

Kl. 08.14

Pyha. Har måske alligevel liv.

Tager lige tillægslur så. Og bruger resten af dagen på at være hjemmehjælper. Her. Bolig virkelig omsorgssvigtet. Færdig med at lade mig e-tyrannisere.

Kl. 14.19

Bing-bong.

JAAAAA – I've got mail.

Kl. 14.20

... fra Anders. Vedhæftet lille film, hvor nogen hoster sin lunge op.

Skønt.

Når man lige har røget tre kilometer cigaretter. Og et skod.

Kl. 19.11

Så. Har ordnet alt. Og læst aviser. Og destrueret mad m. pels i køleskab.

Kl. 20.00

Bing-bong.

JA – der er den!

Kl. 20.01

Arjjj. Kom brasende gennem stuen som elefant gennem jungle. Hamrede lilletå ind i bordben, så det nærmest sort-

nede for øjnene. Hoppede de sidste to meter hen t. compu-
teren på ét ben, blændet af tårer.

Og hvad ligger der så?

'Your mailbox is over the sizelimit'.

Gider ikke det her. Skrider fandeme i seng.

Mandag kl. 23.43

Intet nyt i indbakken.

Kan jeg ikke bare sende en mail til? Hvor jeg trækker den
første tilbage?

Konsekvenser af det hér helt, helt uoverskuelige. Kan
eksempelvis ikke vise mig i vuggestue mere.

Kl. 23.45

Kan man ringe t. pladsanvisningen og bede om ny institu-
tion t. barn på grund af ansigtstab?

Tirsdag kl. 11.49

Nå. Men nogen er bare ikke store nok til at bruge de to
minutter, det tager at give et pænt afslag. Og det er jo værst
for ham.

Der er jo ikke sket noget, altså. Okay, så har jeg sendt
ham en mail, som han ikke har svaret på. Og hvad så?

I den sidste ende fortryder man jo kun de ting, man IKKE
gjorde.

Kl. 12.01

Og så lige et par af de ting, man gjorde.

Fandens også.

Kl. 23.20

Hvorfor er jeg ikke uopnåelig?

Onsdag kl. 01.12

Nå. Har muligvis ikke noget, jeg kan kalde et privatliv. Har
til gengæld akut porno-udrykningstjeneste for provinspar.

Sad i nyt trøstenattøj fra Føtex og så landskamp, da telefo-
nen – helt overraskende – ringede.

Det var Handyman. Fra skadestuen. På Hvidovre Sygehus. Hvor han sad m. den mindste, der havde brækket armen. Og ville ha' sin mor.

»Men det er jo onsdag«, som han sagde. »Og Merete slukker jo altid mobilen, når hun er ... dernede«.

Tænkte som en rasende på, hvor jeg lige kom ind i billedet.

»Gider du ikke at tage ind og få fat i hende? Pigen vil ikke have gips på, før Merete kommer«.

???

»Det dér beder du mig ikke om, Handyman«.

Men det gjorde han. Tolv gange.

Og så var det, jeg tog en taxa. I pyjamasbukser og dunjakke. Til Vesterbro. Og ringede på en kælderdør. Som blev åbnet af overvægtig Avedøre-type i boxershorts.

Fik spurgt, om han ikke lige kunne hente Merete. Det kunne han godt. Hvis jeg lige kunne beskrive hende. »For der er,« som han sagde, »temmelig mange derinde lige i øjeblikket«.

Øhhhh... Det kunne jeg ikke. Ikke ud over at hun var nogens mor. Og – gik jeg ud fra – nøgen.

Det korte af det lange er, at skiderikken sagde, at så måtte jeg selv gå ind og finde hende. Og at der ligesom var en dresscode på stedet, jeg var nødt til at følge.

Så måtte jeg kraftedeme lægge både flonel og dun. Og entrere etablissementet. I hudfarvede underbukser. Og sort bh. Som verden aldrig skulle have set i selskab m. hinanden. Og fiske Merete ud af baren, hvor hun sad og dinglede m. en Martini og en halvskaldet bedemandstype i g-streng.

Mission completed. Skred ud i taxa og kørte hjem.

Hun er færdig som fadder for Bjørg.

Helt færdig.

Kl. 01.18
Bing-bong.

Hvad?

...

JA.
JAJAJAJAJAJAJAJAJAJAJAJAJA.
Jordskredssejr!
Mail fra Mathiesen.

'Kære Nynne, Undskyld jeg først svarer nu (DET ER
BARE HELT I ORDEN), men jeg er lige kommet hjem fra
konference i Helsinki. (OF COURSE). Jeg vil meget gerne
se dig. Hvad med tirsdag aften? – Niels'.

YES!
Baghjul t. verden. Hele verden.

Og øerne.

I'm going in

Mandag kl. 10.12

Findes der ikke en skide barnepige i hele denne her elendige by?

Eller hvad?

Natascha og Victoria er på forretningsrejse til Bruxelles. For at aflægge helt, helt uproblematisk besøg hos biologisk diplomatfar.

Thomas er i Stockholm. Självklart.

Og min mor har tilsyneladende pludselig fået et liv. Ved ikke, hvad der er faret i konen. Men er åbenbart blevet ramt af den vildfarelse, at ingenting er for sent. Og har meldt sig til Salsa 60+ på aftenskole.

SALSA, altså.

Hun kan ikke engang blive brun om sommeren, for helvede.

Det eneste, der kan give hende farve i kinderne, er hvis hun får noget billigt.

Kan slet ikke danne billeder på det hér. Prøv lige at se hende glide rytmisk hen over gulvet i en løs Føtexbuks og en praktisk sko.

Ærlig talt. Vi er faktisk i familie. Og hun har vel også en slags ansvar for vores omdømme i det her land. Snart stikker hun vel af til Sydamerika m. danselæreren. Én eller anden 25-årig Eduardo m. katalog-guld om halsen.

Hvorfor skal det gammelsalsa også lige ligge om tirsdagen? Hvor en anden én for fanden har livsvigtig date. De har jo fri hele ugen. Pensionisterne. (Burde for resten også udelukkes fra supermarkederne på hverdage mellem 17 og 18. Må kunne reguleres fra centralt hold – ligesom i busserne).

Nå. Men det korte mail-referat er, at jeg skal stille i Kartoffelrækkerne 19.30 i morgen aften. Som i HJEMME hos ham. (Hvis jeg altså kan få mit barn passet).

Jeg foreslog ellers, at vi skulle mødes på Circus. Men han synes hellere, jeg skulle komme over t. ham og drikke øl og spise tapas.

Det syntes jeg så pludselig også.

...

Eller hvad?

...

Hvorfor foretrækker han egentlig hjemmemodellen?

Enten tænker han slet ikke over det. Fordi han har afslappet forhold t. eget hjem. Og selvtillid. (Blæret).

Eller også har han designet sig ud af alle sine midtvejskriser. Og prøver at score folk m. en hel masse Fritz Hansen. (Ubærligt).

Kl. 10.15

Eller også gider han bare ikke at tage helt ned på Circus for at få sex.

Kl. 17.59

Har stadig ingen barnepige. Men har løst beklædningsdelen.

Skød ind i Voigt på Østerbrogade og købte alt det, ekspedienten havde på. Det blev 4.300.

Kl. 18.01

Åh, nej.

Hvad nu hvis jeg alligevel ikke synes, han er lækker? Hvad nu hvis han har Montana-reoler? Eller siger 'kasterere'? Eller har gamle Bruce Springsteen-billetter hængende på opslagstavlen? Eller går i drengeunderbukser?

Må helst kun være perfekt. Magter simpelt hen ikke at lægge drømmen ned allerede.

Måske skulle vi bare have flirtet en måned til.

Kl. 18.06

Nynne Mathiesen?

Hm.

Could be worse.

...

Ku' fandeme også be better.

Kl. 18.10

Anders!

Anders kan passe Bjørg.

Eller kan han?

Lidt ligesom at spørge Frank Hvam.

Eller Razz.

Kl. 18.13

Hvad hvis hun skal skiftes? Eller hvis han sender hende i kiosken efter Tipsbladet?

Nå.

Men har ikke andre muligheder. Og måske bliver hun glad for det.

Når hun bliver større.

Kl. 19.10

Fuck. Han kunne godt.

Okay. Så er det i gang m. det store du-ved-det-ikke-end-nu-men-du-skal-nærmest-være-alene-hjemme-i-morgen-aften-og-mor-har-meget-dårlig-samvittighed-men-ikke-nok-til-at-blive-hjemme-ritual. (»Vil du have flere Smarties, søde? Skal vi lege med Duplo? Hvor mange godnathistorier vil du have, lille skat? SELVFØLGELIG må du sove i mors seng. Ok, så børster vi ikke tænder i aften, Bjørg. Men det er KUN i aften. Skal jeg blive liggende, til du sover? Ja, DET vil mor gerne. Saftevand? Nej, ikke nu ... nå, skidt. Okay så«).

Tirsdag kl. 19.22

Så. Har installeret Anders og Bjørg i sofaen i nattøj og popcorn.

Kl. 19.33

Jens Juels Gade.

In position.

Locked on target.

I'm going in.

Kl. 04.41

Kom hjem for en halv time siden.

Sidder nu her i stuen i mørke.

...

???

...

Ramt.

❤❤❤❤❤❤❤❤❤❤❤

(PS: Bjørg har vist haft det fint. Har set *Dødens Detektiver* m. Anders. Og drukket en halv liter æggesnaps. Oven i købet uden salmonellachok. So far.)

Love is in the air, di-di-di-di-di-di-di

Mandag

Seks døgn, der ændrede verden.

Har v. ufatteligt svineheld scoret mand, der sprænger Apgar-skalaen i alle henseender.

Dufter fantastisk. Har verdens pæneste overkrop. Og helt straight undertøj. Plus vidunderlige hænder, der rører én på du-er-min-måden.

Kysser fantastisk. Absolut mindblowing. Helt mærkeligt at åbne øjnene bagefter og se, at der bare sidder et menneske.

Er helt vildt sexet. Uden rigtig at vide det. Og maskulin. (Overhovedet ikke genert. Går nøgen rundt i huset om morgenen. Uden at spankulere).

Og så bor han pænt. Uden at det er anstrengende. M. lækre ting. Og rigtig mad i køleskabet. (Normalt har mænd ikke et hjem. Men bare delkomponenter som fjernsyn, spisebord og seng. Og reproduktioner i skifterammer).

Og så går han fandeme i jakke og skjorte. (Aldrig prøvet før. Har tidligere kun scoret i mere forvasket segment).

LIGNER faktisk Fl. Enevold.

Er sjov. Og klog. Og har Jordens mest sexede latter.

Er sporty, men ikke på den senede måde. (Kan løbe Søerne rundt på 27 minutter).

Siger, at han har prøvet at score mig i ti år. Og at han til sidst var nødt til at få børn, så han kunne få dem i samme institution som Bjørg. Og at han synes, at jeg har Nordens pæneste krop. Og planlægger at holde international konference om den.

Og så lyder det fantastisk, når han siger 'syv'. Og 'reol'. Og 'Nynne'.

Og så er der ikke noget pis med, at han ikke ringer. Han ringer bare. Og sender mails. Der begynder m. 'min skat, ...'

151

Og så ved han en masse om anatomi.

Og siger, at vi skal til Barcelona til jul. Og til Irland til foråret.

(Kan man virkelig have både mand OG forår???!!!!!!).

Og så passer han helt vildt godt ind i mit liv. Og har børn. Og er ordentlig. Og må godt møde Bjørg. Snart. (Ok? ... Eller hvad? ... Nå. I hvert fald om noget tid).

Og så er han børnelæge. Helt ærligt. Hvor blæret er det ikke lige at have scoret en læge. Som er på en afdeling. Og har sygeplejersker. Under sig. Altså in a non-sexual way.

Og så er han v. dobbelt svineheld også virkelig vild m. mig. Som i forelsket.

Tirsdag kl. 10.05
Bjørg har været hos Thomas i nat. Og Nynne har været hos Niels.

Er på det dér arbejde nu.

Savner ham. Har ikke set ham i halvanden time og syv minutter.

Føler mig som Pontus Kjerrman-hest. Står og ser tomt ud ad vindue.

Kl. 10.06
Har meget lyst t. smøg. Men bør måske lade være.

...

Man kommer jo altid til at lyve lidt i begyndelsen af f.f.

Man hvorfor fanden skulle jeg nu også lige sige, at jeg satser på at være klar til Copenhagen Marathon i maj. Det PASSER jo ikke.

Andre løgne, der kræver korrigering m. tiden:

- at jeg ikke har nogen mor. I hvert fald ikke én, der bor i Husum.

- at jeg har et enormt behov for at være alene nogle gange.

- at jeg har været i New York.

- at jeg har læst Paul Auster-trilogien. Og ved, hvem Dow Jones er.

- at jeg ikke kan leve uden motion. Og er festryger.

Kl. 10.17
Nå, kom så. Avislæsning. Må i det mindste være velorien-
teret.

Kl. 10.21
Altså. Hvad fanden foregår der henne på højrefløjen i øje-
blikket? Det vrimler m. cases, der endegyldigt beviser, at
distriktspsykiatrien har slået fejl. Tilfælde som Ulla D. bur-
de da kunne indlægges på røde papirer.

Kl. 10.27
Yes. Yes-yes-yes-yes-YES.
Han har lige ringet. Og spurgt, om jeg stadig er vild med
ham.
Løj. Og sagde »lidt«.
Kors, hvor har jeg meget overskud. Skriver lige afsluttten-
de rapport om sidste uges projekt.

Kl. 12.36
Plok.
Fuck.
Hvad fanden ...
Der gik strømmen, sgu.
Hvad har jeg nu pillet ved?
...
Savede jeg?

Kl. 12.39
Ikke rigtig, vel ...
Arrrjjjjjj. Har skidehamrende mistet tretten sider fyldt m.
ord.
Nå, never mind.

Kl. 12.42
Hvad?
Har jeg hevet stikket til hele hovedstaden? M. lyskryds
und alles?

Kl. 12.53

Ok. Tilsyneladende major elnedbrud.

Er sgu nok Ulla D., der har været henne og skære i et svensk kabel for at vise, at vi også strømmæssigt bør isolere os fra alle andre lande.

Onsdag

Hvad sagde jeg?
Hvad sagde JEG?
Love is in the air, di-di-di-di-di-di-di.
Også i familien Rex.
Har lige været inde på kronprinsens hjemmeside. Www.arjhvorerhunpæn. Vil også foreslå Niels at få lagt stylet foto af mig samt stærkt overdrevet curriculum ud på Rigshospitalets hjemmeside.

Torsdag kl. 11.12

Så er der én dag t. børnefri fredag. Og til at Niels M. skal hjem til mig. For første gang.

Er nødt til at lade, som om jeg også har helt afslappet forhold t. eget hjem.

DET HAR JEG JO IKKE.

(»Beklager, at her roder lidt. Men det er, fordi jeg er ved at få målt op til en klatrevæg«).

Må ud og skaffe boligaccessories. NU.

Kl. 12.52

Sådan. Skød ned i Illums Bolighus og langtidsinvesterede. I to bådskåle fra Ditte Fischer. Blev 850 kroner.

Har desværre ikke råd t. at fylde dem m. frugt.

Lørdag

Done. Did it.

Overlevede.

OG HAN ER STADIG VILD MED MIG.

Selv om hans ene sko sad fast i nogle gamle cornflakes i entreen. Og vi var nødt til at drikke caffè latte uden mælk.

Kan det virkelig være rigtigt?

Begynder nærmest at tro på det her.
Faktisk.
...
Måske var der også bare én til mig.

OKTOBER

Hold kæft, et liv.
Gravhunde, ridetimer, diademer
og Frederik ad libitum.

Jeg har min hest, jeg har min ...

Mandag

Har fået hamstertilværelse. Lever om natten og er bevidstløs om dagen. Har sovet 16 timer de sidste fem døgn. Sammenlagt.

Niels kommer, når Bjørg er faldet i søvn. Og går, inden hun vågner. Underligt skummelt at have hemmeligheder for to-årig. Som at tage nattøj på og sige godnat t. sine forældre som teenager. Og så stryge ned ad tagryggen og tage til fest ti minutter senere.

Sidder nu og nikker på arbejdet m. øjenlåg så tunge som carporte. Og lidt tømmermænd. Har drukket vin, haft sex og snakket om alting hele natten. Igen.

Bygger rede hver aften på stuegulv m. dyner, vattæpper, puder og stearinlys.

I de omgivelser tager ens livshistorie sig faktisk ok ud. Man kan endda slippe af sted med at fremtræde en anelse eksotisk. (Vælger jo selv overskrifter og udeladelser).

Og så er han altså stadig den smukkeste mand i EU. Også når han sover. Og når han lige er vågnet.

Ligner til gengæld selv én, der har kørt hagen hen over asfalteret vej m. 60 kilometer i timen. Har burka-egnet tredjegrads skægpest i det meste af underansigtet.

Frygter hver nat, at Bjørg pludselig står midt i stuen m. sut i munden og tøjhønen Margrethe i hånden. Mens supposed-to-be-mor leger hest m. nøgen børnelæge fra Rigshospitalet.

Er foreløbig ikke sket.

Til gengæld svært at holde noget som helst skjult for 37-årigt Nickhoved. Kiggede lige op fra Euroman med et »Er du skvattet i en bunke skægstubbe?«, da jeg strøg forbi m. sænket hage efter morgenmødet.

Hvad rager det ham? Jeg tegner jo ikke ligefrem afdelingen udadtil. Og kommer sikkert heller aldrig til det. Thanks to ham.

Det lille kronragede skadedyr.

Tirsdag kl. 07.13
Undskyld, men hvad er det egentlig, der foregår ovre i
musikbranchen i øjeblikket? Kom til at tænde for morgen-
radioen. P. Krebs har åbenbart gang i noget senhumanis-
me.
Er tilsyneladende blevet medmenneskelig på staveplade-
måden.

*Du er overalt uden for lands lov og ret/ hvor de små sko trykker
står du frem i relief/ Ildsjæl/ jeg ved du brænder, jeg ved du tør/ du
er min ildsjæl, du gør en forskel, ja du gør/ Ildsjæl, en usleben
diamant/ hver gang du tror på det, du kan/ Engagement, yearh,
yearh.*

Lyder, som om han sidder og skider, mens han synger.
Så'n nogen som ham har jo brug for et tilhold.

Kl. 16.14
Nå. Var nødt til at rydde Irma på vej hjem. Hvis Niels nu
skulle kigge ind i køleskabet. Eller spørge, hvad vi har fået
at spise. Laver økologiske smoothies t. Bjørg på blenderen
ustandselig i øjeblikket. Mest for at kunne fortælle det om
aftenen.
Må nok også lige en tur i Gad. Og skaffe noget andet
litteratur t. fremvisning end det septembernummer af Ud
& Se, min mor har lagt på sofabordet. (»Har du SET det her,
Nynne. Det er lige så godt som et ugeblad. Og så er det
gratis«).
Har Nanna Lüders ud over hele forsiden. Er altså pæn.
Men hvorfor har hun egentlig farvet sit hår i samme far-
ve som pelsen rundt om en isbjørns røvhul?

Kl. 16.26
Ullbeck, Ullbeck, Ullbeck ... Hvor fanden står hende den
franske forfatter, der blev slæbt i retten for fornærmelser
mod islam? Bliver nødt til at spørge.

Kl. 16.27

Nå. Fransk forfatter er en mand. Og hedder Michel Houlle-becq.

Tog også lige den nyeste Siri Hustved.

Begynder at blive dyrt det her.

Onsdag kl. 21.13

Så. Barn lagt. Og børnelæge på vej fra Kartoffelrækkerne.

...

Kartoffelrækkerne? Det kunne man vel godt. Ikke noget dårligt sted at bo. Heller ikke for børn. Dog lige lovlig mange humanister samlet på ét sted. Nå. Er i det mindste ikke så pæne i tøjet. Gør sig p.t. mest i slå-om-filt og kaos-mønstrede brillestel.

Behøver jo heller ikke at hilse på Elisabeth G. Eller – gud forbyde det – ham fra Latterens Verdensdag.

Kl. 21.14

Må man egentlig råbe RØØØØØV i rækkerne?

Kl. 21.15

Og egner jeg mig til at være stedmor? For nogen, der hedder Joakim og Sille? På seks og tretten år?

Torsdag

Hm.

Hans ekskone ringede på mobilen i går. Lige da han var kommet ind ad døren. Talte altså med hende i næsten et kvarter.

Prøvede at lade, som om jeg synes, det er dejligt og vigtigt, at de kommer så godt ud af det m. hinanden.

Men hvorfor skulle han lyde så venlig over for hende?

Han grinede også flere gange.

Prøvede i løbet af natten – HELT en passant – at komme ind på deres skilsmisse. Gik efter beroligende detaljer i brud.

I stil med: »Jeg tænder bare overhovedet ikke på hende. Det har jeg egentlig aldrig gjort«.

Eller: »Andre synes, hun er meget smuk. Jeg kan bare slet ikke se det«.

Eller: »Jeg har aldrig haft det så godt, som efter vi blev skilt. Hun var virkelig en plage. Og uintelligent«.

Plus eventuelt en lille bonus. Som i: »Mine venner kunne heller ikke holde UD at være sammen med hende«.

Kom desværre ikke. Talte faktisk kun pænt om hende. De havde bare »kendt hinanden for længe«. Det vil sige 14 år. Og så havde de »meget forskellige liv«. Han havde nogle år, hvor han »nok arbejdede lidt for meget«. Og hun »fik pludselig stor succes som designer« (føj, føj, FØJ). Og til sidst var det mere »et team end et ægteskab«.

Men de »ses stadig meget«. (av). Og har også stadig »en stor fælles omgangskreds«. (av, av, av, av, av, AV).

Og så »har vi jo huset i Sverige sammen«. (HVAD? HVAD har de?) Og det »fungerer fint«.

Øv. På den urummelige måde. Som man ikke rigtig kan fortælle nogen om.

...

Hvorfor hader han hende ikke?

Bare en lille bitte smule?

Gider ikke at have designer-slange i paradis.

Klynger mig t. håbet om, at hun er nattesveder.

Frederik ad libitum

Søndag

Nå. Havde meldt mig som indsamler for Røde Kors sammen m. Bjørg. Primært for at flashe medmenneskelighed over for ny kæreste: Så så man lige mig og min datter arbejde for det gode.

Viste sig at være meget ambitiøst projekt. Stod hurtigt klart, at det var umuligt at hale to-årig med op og ned ad trapperne i 31 etageejendomme.

Slæbte hende op til femte sal som gl. skuldertaske i de to første opgange. Var ikke i orden. (Er Røde Kors egentlig ikke også imod børnearbejde?)

Sad på en trappesten i Ryesgade for at samle kræfter og drikke en kakaomælk, da konen udstødte høj motorlyd i bleen og bekendtgjorde, at hun var færdig.

Godt så. Havde selvfølgelig ingen bleer med. Kunne godt regne ud, at vi måtte hjem. Men kunne jo ikke først sætte mig på helt distrikt og så komme retur m. 40 kroner i bøssen.

What to do? Ikke så mange muligheder. Andet end at gribe i egen pung.

Havde heldigvis en tusse i tasken. Men måtte ind i tre forskellige døgnkiosker på vej hjem for at få slået den i småstykker. Og så hjem og demontere ble på halvandet kilo.

Bjørg syntes, det var ret sjovt at fylde 1.000 kroner i småpenge i indsamlingsbøssen. Kunne ikke helt glæde mig sammen med hende.

Satte mig så til at vente på, at der var gået lang nok tid til, at vi kunne gå ned og aflevere den. Og øvede mig i at sige sætningen »Vi fik sgu samlet over 1.000 kroner«. Uden at græde.

Tirsdag

Sidder på DRÆBENDE it-kursus. M. underviser, der ser ud, som om han har lånt sit tøj på biblioteket. Og som siger 'trooonkering'. Som om han er helt inde i bihulerne og hente ordet.

Hader overheads. Burde udskrives på recept som indslumringsmedicin.

Lærer intet. I-N-T-E-T. Har til gengæld masser af tid t. at sidde og hugge med mig selv om, hvorvidt jeg skal tage Niels med t. min mors 70-års fødselsdag på næste søndag.

Fordele:
???

Ulemper:
1. Så ser han dem alle sammen. Ikke bare Madge fra Husum. Men dem ALLE sammen. Hele udtrækket fra Slagelse og øerne. (Og så på en søndag, for helvede. Hvorfor i alverden gider nogen bruge 20.000 på at invitere folk i grimt tøj t. fest om søndagen? Og hvorfor gider nogen at komme? Hele vejen fra Slagelse? Og øerne?).
2. Så ser han mig. Være én af dem. Meget svært at fremstå sexet, farlig og fatalistisk, når det pludselig er tydeligt, hvad man er lavet af. Og hvordan man ender med at komme til at se ud.
3. Kan man nogensinde have sex igen bagefter? Der går nok noget tid. Ligesom efter en fødsel.

Fordele – v. nærmere eft.tanke:
1. Har meget lyst til at have ham med. Er så pæn. Og sød. Og sjov. Og klog. Og sexet. (Nårh, nej. Gælder ikke i dét selskab). Og så er han vild m. mig. OG DET HAR DE KRAFTEDEME GODT AF. Så ser man lige mig komme anstigende m. kloning af Enevold og Clooney.
2. Hvis han står det igennem og stadig er vild m. mig bagefter, så kan vi alt. Som i ALT.

Onsdag kl. 08.12
Pjækker sgu.

Bliver trods alt kun forlovet én gang.

Skal bare lige aflevere Bjørg. Skal fotograferes i vuggestuen i dag. Har brugt timer på at udtænke, hvad hun skal have på. Nødvendigt m. tøj der duer både på gruppefoto i farver og portrætserie i sort-hvid.

Kl. 09.00
Så. Er klar. Har te, caffè latte, chokoladecroissanter fra Emmerys, cigaretter nok til både mig og D. Margrethe – og skumfiduser i baghånden.
Hvornår er dét pressemøde?

Kl. 09.01
ARRRRJ, ved I nu hvad, venner. 15.30!
Der skal jeg jo hente Bjørg.

Kl. 09.13
Nå, pyha. Nonstop tv frem til nærmest midnat.

Kl. 10.50
Og der har vi så reporter Thorkild Dahl. I helikopter og hørebøffer. Det er godt nok alvor, det her.

Kl. 11.05
Fredag 14. maj? Jamen, det kan jeg ikke. Der skal jeg til konference. På FYN. Det må flyttes. Altså brylluppet. Kan jo ikke pjække hver gang, de slår en skid i kongehuset.

Kl. 11.23
Gud, der er hun. Der er hun sgu. Arj, hvor er hun smuk. Selv i plaid.
Neeej. Hvorfor skal man absolut udstyres m. håndtaske, når man er kongelig? Og så sådan en stor, ufiks én? Hvad har de i dem? Et ordentligt nøgleknippe t. Amalienborg? Hardly.

Kl. 12.05
Kys hende SÅ, Frede.

Kl. 12.07
Jeg sagde: KYS HENDE!

Kl. 12.08
Ikke på HÅNDEN, for fanden dreng!

Kl. 15.27
Puh, er propskidefuld af forlovelse, croissanter og skumfi-
duser. Se nu at komme til sagen, så en anden én kan kom-
me videre m. sit liv.

Kl. 15.43
Undskyld, men hvad foregår der egentlig ovre i medie-
branchen i øjeblikket?
   Nu har hun øvet sig i halvandet år. Og så står der sådan
en flok gadekryds i kikset tøj og stiller decideret dårlige
spørgsmål. »Tror De, at De som par vil besøge Australien?«
»Har De været i Sverige?« og »Har De talt med Deres sø-
stre?«.
   ...
   Hold kæft, et liv. Gravhunde, ridetimer, diademer og Fre-
derik ad libitum.
   Til gengæld kan hun jo ikke engang få vokset bikinilinjen
uden at nogen sladrer t. Billed-Bladet.
   Men man er vel nødt til at turde gøre forsøget, når man er
vild med nogen.

Kl. 16.11
Okay. Jeg tager Niels med på søndag. Der er i det mindste
ikke pressefolk til stede.
   I presume.

DONG!

Mandag kl. 10.24

Så. Overstået. Stadig i live. Og i parforhold. Sidder her og puster ud efter større geriatrisk sammenkomst. Brugte hele søndagen på at få sparket min mor ind i hendes 71. efterår.

Rund fødselsdag blev fejret m. frokost. Så det ikke skulle gå hen og blive for vildt. For »Det er jo mandag i morgen ...«, som gæsterne gik og sagde til hinanden. Som om de skulle noget som helst i den anledning. De kunne ligge med tømmermænd i en hel uge, uden at det ville berøre samfundet. Overhovedet. Formentlig 25 år siden, de yngste af dem har sat deres fødder på arbejdsmarkedet.

Nå. Men havde jo altså medbragt EU's lækreste mand. Kunne ligne fuldstændig fejlcasting. Men gik faktisk fint. Eller rettere: Han tog det pænt. Også selv om min mor benyttede enhver given lejlighed t. at råbe-hviske t. samtlige gæster: »Han er LÆÆÆÆÆGE«, så spyttet stod i en sky om ørerne på hende.

Blev anbragt v. små runde borde m. tykke bordeauxfarvede papirsduge, mørkegrønne servietter og bordkort m. 70 år og en umotiveret hestesko i guldtryk.

Og hvem havde så tilfældigvis lige fået Niels til bords? Mig? Næh! Det var jo ikke min fødselsdag, vel.

Så sad hun dér og tronede i en kraftig lægget nederdel m. hektiske røde pletter på halsen og hilste til højre og venstre m. et udlejningsglas i hånden.

Og jeg sad – langt væk fra hovedbordet – og ønskede af al magt, at min mor havde været medlem af ABBA eller koloristerne eller bare et eller andet, der gjorde det hele lidt mere highflying.

Forsøgte flere gange at få øjenkontakt m. min nye kæreste nede fra de billige rækker. Men han sad sød og ordentlig og lagde liv t. en sky af uredigerede historier om, hvor glad min mor er for at komme på biblioteket, hvor dejligt det er m. sådan et netkort, og hvordan alting var, da jeg var lille. HVORFOR skal de altid – ALTID – sætte én ned i størrelse v. at flashe historier om dengang, man gik i mærkeligt, strikket tøj og små, røde gummistøvler?

»Og så var vi i Zoologisk Have. Og ved du hvad? Så da vi nåede hen til næsehornet, SÅ kunne Nynne ikke holde sig længere ...« efterfulgt af en falsetlatter, der vistnok skulle forestille at være hjertelig.

For fanden. Hvad skal han bruge det til? Hvad skal han BRUGE det til? Jeg har kendt ham i en måned og omhyggeligt sorteret ALLE udgående informationer. PLUS arbejdet meget hårdt for at fremstå delikat i alle situationer. Og så i løbet af ti minutter får hun lige plantet farvebillede af mig stående i Zoo m. pis rendende ned ad benene. Tak for det, du.

Nå. Men besluttede mig for at blive voksen – og slå det hen. I hvert fald i nogle timer. Overgav mig t. laksesymphonie og sprængt et eller andet. Og så tog vi ellers hele turen gennem »Og huuuuun er så ÅÅÅÅÅNG og så ØØØØØNDIG ser huuuuun UUUUUD!« (Hyklere. Hele bundtet). Og »Bravo bravissimo, bravo bravissimo, braavo, bra-avo, bravissimooooo« (Hvem fanden er det, der sidder og scorer Koda-penge på det lort?).

Befandt mig derefter i klassisk skal/skal-ikke i en god halv times tid. Havde jo skrevet sang. Men kunne egentlig talt godt få øje på mere velegnet tidspunkt at blive stjerne for en aften på. F.eks. ét hvor toplækker børnelæge ikke sad på første række. Bare for at nævne noget. Men havde sgu brugt skidemeget arbejdstid på at skrive den. Og ville også gerne glæde hende m. noget. Ud over bordherre under 65.

Så frem med den. Og op t. hyret Hammond-ekvilibrist m. melodien.

Og så er det bare, jeg spørger: Hvor svært kan det lige være at ramme omkvædet til *Det var på Fred'riksberg*? Kom til at lyde som om, jeg havde skrevet den i kæmpebrandert. Hele selskabet snublesang sig desorienteret gennem værket.

Troede, jeg skulle dø. Indtil jeg fik øjenkontakt m. børnelægen, der havde hele underansigtet begravet i bordpynten af grin. Og som bagefter kyssede mig sønder og sammen ude i garderoben. Og sagde, at han sgu da synes, at min mor var helt okay. Og at »Sådan er alle familiefester, Nynne«.

Hvordan kan man være så sexet og så rummelig? På samme tid?

Indtog institutionskaffe i nærmest løftet stemning. Og gik hjem og havde en masse sex. Som de eneste i selskabet. (Forhåbentlig).

Kunne godt komme til at elske den mand.

Faktisk.

Tirsdag kl. 14.21

Sig mig, har jeg egentlig nogensinde skrevet, hvor langt ude det er, at man skal lægge 30 kroner for en caffè latte? Prøv lige at høre: Tredive kroner. For en kop kaffe. M. mælk.

Onsdag kl. 21.19

Hvor lang tid skal der helt konkret gå, før børnelæge må møde barn? Hvad skal være i orden? Hvilken skala måles den slags efter? Og hvad, hvis han nu skrider om en måned? (Det gør han ikke. Det gør han fandeme ikke!).

Kl. 21.20

Har tænkt over det. Synes faktisk, det vil være ok nu. Men hvad nu hvis de andre – altså veninder, kolleger eller kommunen – synes, at det er for tidligt?

Hvem bestemmer det?

Kl. 21.22

Altså.

Kan ikke finde ud af det.

Burde være stoplyd i ens liv, når man gør noget forkert. Ligesom på en computer. DONG!

Kl. 21.27

Bør vel også lige vende det m. freelancefar. Hvis han ellers befinder sig i mobildækket område.

Nej. Orker det ikke.
Beslutning udsat. I hvert fald en uge.

Torsdag kl. 15.11
Dér var det.
Vidste jo godt, at der måtte være noget. Man kan ikke være SÅ perfekt.
Har haft snigende fornemmelse. Og har nok prøvet at lukke øjnene lidt for det. Men den er god nok.
Han er sund.
Han er desværre sund.
På lægemåden. Hvor man godt kan mærke, at det er bedst, hvis man også selv først rigtigt bliver menneske efter sin morgenløbetur.
Har desværre ikke selvtillid t. at melde klart ud. Dvs.: tænde tre smøger, æde en lagkage og erklære, at man kun rigtig lever, så længe man nyder det. Er jo så i stedet kommet til at sige, at jeg går til fitness. On a regular basis ...
Det er jo en decideret løgn. Har aldrig foretaget så meget som en eneste armbøjning i nærheden af et træningscenter.

Kl. 15.12
Fuck, altså.

Kl. 15.13
www.degulesider.dk

Kl. 15.14
Åhhhhh nej. Der er lige åbnet fitnesscenter m. det hele i nabolaget.
Hvorfor nøjedes jeg ikke bare m. at sige, at jeg var benhård t. rommy?

Bar røv og angstsved

Mandag kl. 11.13
Det her holder ikke.

Har mand. Men kun på timesharebasis. Har ikke set ham siden torsdag morgen.

Har sådan set været single i 98 timer.

Mærkeligt, at vi slet ikke findes i hinandens liv, når vi har børn.

Også ubehageligt nærmest at se frem t. at komme af m. sit barn.

Vil have helt liv. M. alt. Det vil sige: Mand, der kan blive og sove. Barn, der ikke er i vejen. Mandegrej på badeværelset. Og familiemorgener ligesom i cornflakesreklamerne.

Også træt af altid at være træt.

Nå. Han har afleveret sine børn i dag t. designer-slange. På Christianshavn. Selvfølgelig. (Kan de lige komme til m. deres bopæle i den familie?!).

Kommer her i aften efter børnelukketid. På den hemmelige måde. Seks gange sex. Og ud klokken fem.

Tirsdag kl. 10.13
Fuck.

Over-dobbelt-fuldstændigt-fuck.

Vågnede kl. 07.12 v. at nogen råbte »Moar« inde fra børneværelset.

Skød op fra gulvreden og nøgenløb derind på den uværdige måde. Råbte »Godmorgen, lille mus« m. fremmed, lys stemme. Kørte tremmesiden op på sengen, så hun ikke kunne komme ud. Og knaldede Karius og Baktus-cd på så højt, at hun heller ikke kunne høre noget. (Alle tiders mor. Virkelig alle tiders).

Løb tilbage t. den anden verden stadig m. kødet flaksende omkring mig. Desperadohviskede »Ud«. Og så »UD med dig!« t. børnelæge, som allerede var på vej gennem entreen i underbukser. Skubbede ham alt for hårdt ud i opgangen. Og leverede resten af hans tøj i en bunke på måtten.

Nåede lige at kompensationskysse dr.med., inden jeg klappede døren i.

Tilbage t. stuen. Hvor læge-Nokia lå og smilede på sofabord. Greb den, kødspænede ud i entreen og kylede den ud gennem brevsprækken.

Så ind t. barn. Og servere havrefras m. adrenalin-åndedræt og alt for meget sukker.

Får vist ingen diplomer i denne uge. Hverken i kæreste- eller mor-kategorien.

Det her går ikke længere.

Vil simpelt hen ikke løbe rundt m. bar røv og angstsved én gang til.

Ringer t. Thomas i aften.

Kl. 21.42

Så.

Smøger.

Vin.

... og lidt gin.

Ild.

Læbepomade.

Selvtillidsbriller fra Chanel.

Mere læbepomade.

...

Godt så. Klar. Hvordan skal det egentlig lige gribes an?

Flere muligheder:

Take one:

»Hej, det er Nynne ... Altså du er jo ikke nogen særlig god far for Bjørg, vel ... Så jeg har fundet en ny løsning ...«.

Duer vist ikke.

Take two:

»Hej, det er Nynne ... Synes du, at jeg ødelægger Bjørgs liv, hvis jeg præsenterer min nye kæreste for hende?«.

For underdog-agtigt.

172

Take three:
»Hej. Ved du hvad? Nu præsenterer jeg min nye kæreste for Bjørg, ikk ... Og du klapper bare i!«.
Måske lige i overkanten.

Take four:
»Hej ven. Hvordan går det? Ej, hvor godt! Det er jeg vel nok glad for. Hvor er det dejligt! Er du ikke glad? Så-kan-jeg-vel-godt-præsentere-Bjørg-for-min-nye-kæreste-vi-ses-HEJ!«.
For fejt.
Må bare improvisere.

Kl. 22.02
Jeg hader ham.
Hader, hader, hader ham.
Hvorfor skal alting koste noget?
HVORFOR?
Freelancefar: »Tillykke med det. Det har jeg sådan set ikke noget imod«
(Blændende start. Men åbenbart for tidligt at være henrykt).
»Du har vel heller ikke noget imod, at jeg tager Bjørg med til Norge i julen? Mine forældre har lejet en hytte deroppe. Og du havde hende jo sidste år«.
(HAVDE HENDE SIDSTE ÅR?).
»Ja, fordi du var otte uger i Af-fucking-ghanistan og fotografere andre menneskers børn. Mens jeg sad i outlaw-Husum m. halvandenårig, der var ramt af mellemørebetændelse. Og 69-årig i ægte, anstrengende rødt. I øvrigt var vi overhovedet ikke skilt sidste jul. Du var bare REJST, du var. IGEN«.
Freelancefar: »Kan du ikke lige slappe lidt af?«.
BANG. Rør på. Føles altid godt. I tre sekunder.
...
Hmn. Blev faktisk ikke helt færdig. Hvad fanden bilder han sig ind?
Sender lige tillægsmail.

'Måske skulle du prøve at overkomme Bjørgs helt basale behov, inden du kaster dig ud i at arrangere glade jul i udlandet. Som at rense hendes negle, putte hende i bad – bare en gang imellem – og måske oven i købet give hende rent tøj på og lægge det snavsede i vaskemaskinen (PÅ 40 GRADER, TAK). Videresender i øvrigt referat fra forældremøde i vuggestuen. Som du jo heller ikke havde mulighed for at deltage i. Nar'.

Så! Af sted med DEN.

...

Bing.

Allerede? Plejer sgu da at tage ham et døgns tid at stave sig igennem et svar.

'Kære Nynne, jeg gætter på, at denne mail kun skulle være sendt til Thomas :-) Kh Pia, Annas mor'.

???

...

???

...

ARRRRRGGGGGHHHH.

Det her er ikke sket.

Det er simpelt hen ikke sket.

Jeg er færdig.

I hele hovedstadsområdet.

Er åbenbart kommet til at trykke på 'svar til alle' i stedet for 'videresend'. Har – helt afslappet – sendt karaktermord på freelancefar t. samtlige forældre i vuggestuen. Plus pædagogerne. Plus lederen af vuggestuen. Og børnehaven.

Hvad skal jeg sige?

...

Går lige ind og hænger mig.

NOVEMBER

»Kom så - ALLESAMMEN«

Der var bare
sort, sort, sort

Søndag kl. 20.50
Dét gør de ikke. Det gør de kraftedeme ikke, det dér.
Har lige set næstsidste afsnit af *Nikolaj og Julie*. Og kan ligesom godt mærke, at der bliver lagt op t. noget helt, helt uacceptabel happy ending i den familie.
Vor HERRE bevares.
Hér har jeg i ét væk forsvaret den serie over for skeptikere, kynikere og åndelige analfabeter. Som et ok og realistisk bud på, hvordan det faktisk er at blive skilt. Og leve videre på den amputerede måde.
Har fulgt dem gennem retssager og AA-møder. Håbløse forhold t. præster og testosteronpumpede, kvindelige kunstnere m. dybe stemmer. Trafikuheld, motorcykelkørekort og psykiatriske indlæggelser. Selv Edvard har man fandeme levet med. Søndag efter søndag. Også når han pissede i bukserne. På virkelig ubelejlige tidspunkter.
Og hvad er takken så?
At de med ét ryk og en aflevering får hele kabalen t. at gå op på 'og-de-blev-gift-igen-og-var-nogle-helt-nye-og-meget-rummelige-mennesker-måden'.
As if det nogensinde sker henne i virkeligheden.
Og de skal HELLER ikke komme rendende m. en eller anden åben slutning. Hvor man ligesom selv må bestemme, hvad der sker i fremtiden. Der må kraftedeme være manuskriptpenge nok til at skrive en skide slutning, altså.
...
Faktisk også lidt svært at tage Peter Gantzler alvorligt, når man har haft ham som vikar i tysk i folkeskolen. Og hans storesøster til gymnastik.

Kl. 23.52
Nå. Er træt. Må hellere springe i skrinet. Børnelæge er taget på konference i Oslo. Kommer hjem torsdag. Satser på at

være i rasende, komplet topform inden. Er kommet t. at købe årskort og bestille prøvetime i fitnesscenter i morgen tidlig. Hos 21-årig instruktør, der hedder Mikkel eller Malte. (Er den generation virkelig allerede vokset op?).

Mandag kl. 20.31
Fuck, hvor er jeg smadret, mand.

Og ydmyget.

Har haft nærdødsoplevelse på helt almindelig mandag. (Så dog ingen tunnel m. lys. Der var bare sort, sort, sort).

Lagde ud m. at glemme at komme i tanke om, at sport kræver udstyr. Havde eksempelvis hverken sportstaske eller noget at komme i den.

Mødte dog op t. tiden m. gårdsangersko, 80'er gamachebuks og forvasket t-shirt i plastikposen.

Lignede én, der skulle til idrætsdag på Sankt Hans, da jeg kom ud af omklædningsrummet.

Nå. Men det er jo ikke det, det kommer an på sådan et sted. (Men derimod noget helt andet. Som man heller ikke kan leve op til).

Gav hånd t. barneinstruktør, der m. stort sportssmil placerede mig v. romaskine. M. noget meget tungt vand. Og bad mig om »bare lige at tage 1.000 meter«. For: »Vi vil jo ikke have, at du syrer helt til«.

Sorry. VAR sket. Efter ni tag og 45 fiktive meter.

Kunne pludselig også mærke, at jeg ikke havde fået noget morgenmad.

Nå. Vaklede videre hen t. ond maskine, nogen havde døbt 'Torso Rotation'. Uden så meget som ét eneste kulhydrat tilbage i kroppen. Blev sat ned og bedt om at tage femten urealistiske drejninger m. overkrop. Med en vægtbelastning, der var fuldstændig ude af skala. I den billige ende.

Tog ét tag. Og var klar over, at jeg kun kunne overleve v. snyd. Talte »1, 2 ... 7, 8 ... 15«, sprang af og sagde: »Okay, så ved jeg, hvordan den fungerer«.

Derefter hen på meget avanceret løbebånd. Var faktisk lidt Manhattan-agtigt at løbe der og se CNN. Indtil lortet skiftede gear. Og det pludselig gik så meget op ad bakke, at det sortnede for øjnene, og indvoldene var på vej ud af munden. Havde lyst t. at brøle »TAXAAAAAA«. Og klare resten v. hjælp af kosmetiske operationer.

Svedte som pryglet abe. Og kunne pludselig også mærke, at jeg havde glemt helt, helt obligatorisk drikkeflaske m. vand.

Men det var der ikke noget at gøre ved. Ignorerede tiltagende hallucinationer om springende kilder og rislende cisterner og lod mig hale gennem endnu en stribe fysiske ydmygelser.

Kunne smage min lever, da jeg langt om længe slæbte mig gennem lokalet m. hylende vejrtrækning og dunkende knæ. Stjal et æble i receptionen for overhovedet at have kræfter t. at nå frem t. omklædningsrummet.

Drak 39 hektoliter koldt vand på toilettet og forlod centret ildrød i hovedet og m. fornemmelsen af hjernerystelse i hele kroppen.

Købte og åd tre studenterbrød på vej t. arbejde.

Skal aldrig derned igen.

Ever.

Torsdag
Christ. Jeg er omgivet af psykopater.

Gik og ryddede op t. morgen-tv i morges. Fik klarsyn – nærmest på Marion Dampier-Jeans-måden – da Cecilie F. fik besøg af iltfattig psykopatforsker.

Kunne pludselig se, at jeg selv har lavet et meget stort stykke grundforskning på det område. Har tilsyneladende rygcrawlet mig gennem psykopater de seneste år uden at vide det. (Ikke noget under, at man engang imellem er lidt træt om aftenen).

I fire rystende minutter stod ahaoplevelserne i kø:

»Psykopater mangler indlevelse i andre menneskers følelser«. (Hej Thomas).

»... og fokuserer på egen storhed«. (Hej Ø).

»... de har ofte et charmerende, attraktivt ydre«. (Samuel, gamle ven).

»... chefer med psykopatiske træk tager ofte selv credit for de opgaver, man løser godt«. (Hej Nickhoved).

»I virkeligheden handler alting om at tilfredsstille deres egne behov«. (Hej alle).

Fredag kl. 13.13
Helt, helt upsykopatisk børnelæge kom hjem i aftes.

Måtte selvfølgelig lige foretage 27 minutter lang løbetur rundt om søerne, inden vi kunne ses. Ham altså.

Mine sportsskader fra mandag morgen gjorde det t. gengæld næsten umuligt at gennemføre selv helt simpel sex.

Uholdbart. Må finde løsning.

Kan måske lære ham at ryge.

Kl. 13.14
Kan man sælge årskort t. fitnesscenter i Den Blå Avis? 'Kun én ejer og næsten ikke brugt'.

Dumpestemning
i hele hytten

Søndag kl. 20.50
Hvad sagde jeg?
Hvad sagde JEG?
Er hele DR på lykkepiller eller hvad? Kors, hvor er det pinligt for dem.
Selvfølgelig var det heller ikke nok, at de fik hinanden. De skulle naturligvis også stå af ræset, bo i husbåd på den rodede måde og leve af at skrive børnebøger i bar mave.
Sinkadusen my ass, altså.
Og så kan jeg godt sige jer én ting til: SÅ godt vejr er det ALDRIG, når nogen har planlagt udendørs bryllup.
...
I øvrigt meget pæn kjole Sofie G. havde på.
(Får de egentlig tøjet bagefter?).

Mandag kl. 10.14
Puha.
Står foran uge fuld af topmøder. I kategorien 'Børnelæge møder Bjørg' og 'Ung, ond stedmor møder Joakim på seks og Sille på tretten år'. (Sille, altså. Kunne de ikke have givet hende et rigtigt navn? Eller havde de allerede brugt alle pengene på fede adresser?).
Første møde falder i morgen aften. Børnelæge kommer kl. 17.30 og spiser sammen med os.
Det er vel fint?

Kl. 10.23
Hvornår skal han egentlig gå igen?
Er to timer for meget?
Nok vigtigt at hun oplever, at han kun er på besøg. (Og først flytter permanent ind om 14 dage ...).
Hvad nu, hvis hun ikke kan lide ham?

Og hvem skal jeg sige, at han er? Min kæreste? Eller bare en god ven?

(Hvis det går dårligt, lader jeg sgu bare, som om jeg heller ikke aner, hvem han er).

Kl. 11.02
Hvad nu hvis det er forkert?

Eller for tidligt?

Eller det bare ødelægger hendes liv?

Og hvordan skal jeg sige hej til ham, når jeg åbner døren?

For vi skal i hvert fald ikke kysse. (Gider ikke have en eller anden korrespondance kørende m. John Halse bagefter).

Kl. 11.11
Bare hun nu ikke laver NEJ-NEJ-NEJ-scene og langer mig flade.

Har ikke lyst til at flashe, hvordan jeg tackler den slags. (Slet ikke de tilfælde, hvor jeg pr. instinkt slår igen).

Kl. 11.13
Hvor er det egentlig synd for hende. At hun skal til ansættelsessamtale uden at vide det. Godt nok meget tidligt.

Hvad nu hvis han viser sig at være rigtig dårlig t. børn?

Er jeg så nødt til at droppe ham?

Kl. 11.14
Gud.

Tænk hvis hun kan kende ham nede fra institutionen Og synes, det er LIDT pinligt, at jeg har scoret én fra Søheste-stuen.

...

Hun er to år, for fanden. Hun er kun to år. Det tænker hun jo ikke, vel.

Kl. 11.17
Hvad nu, hvis de kommer op at skændes?

Slap nu af, kone. Han er børnelæge. Ikke bedemand. Eller lejesoldat. Og hun er skidesød.

Det skal nok gå.

...?

...!

De må sgu selv finde ud af det, altså.

Tirsdag kl. 21.19

Okay. Done. Overstået.

Gik faktisk godt. Tror jeg.

Bjørg var fuldstændigt upåvirket. Niels også. Egentlig kun mig, der var i fare for at ødelægge det hele. V. at være alt for imødekommende, alt for opmærksom og alt for skide irriterende m. alt mit »Så er der maaaadd«, »Bjøøørg, har du fortalt Niels, hvor I var henne med vuggestuen i dag?«, og »Prøv at vise Niels, hvor god du er til at danse«. Nå. Men så gik han jo igen. (Måtte tage mig meget sammen for ikke at spørge toårig, om hun ikke også bare synes, han var skidelækker. Og om det ikke bare har været hele skilsmissen værd, at vi har fået ham).

Tror altså, at folk overdriver det dér m. sammenbragte børn helt vildt. Bliver tilsyneladende ikke noget problem her hos os.

Lørdag kl. 10.22

Åhh, fuck, altså.

Gid jeg bare skulle i Ikea.

Hvem er det også, der har besluttet, at alt det hér skal afvikles på én skide uge? Blæser kraftedeme fra det ene følelsesmæssige brændpunkt til det næste.

Skal t. kaffe i rækkerne.

Eller noget. Har ikke lige kunnet hale koncept ud af børnelæge, der tager det alt, alt for roligt. »Du kommer bare over og hilser på børnene i løbet af eftermiddagen«.

Ja tak, du.

Har prøvet alt mit tøj den sidste time. Ligner børneædende Hitchcock-husholderske fra Manderley, når jeg prøver at se voksen ud. Og noget fra Snurre Snups Søndagsklub, når jeg prøver at være ungdommelig.

Skal jeg have noget med til børnene?

Eller skal de helst kunne lide mig for den, jeg er? (Meget at bede om. Det kan jeg ikke engang selv).

Skal jeg komme cyklende eller gående? Eller flyvende m. paraply som magisk Mary Poppins?

Og hvad skal jeg egentlig stille op m. pige på 13 år? Må hellere få hørt noget Nik & Jay.

Ville MEGET hellere møde hans forældre.

Nå, men gik jo fint i tirsdags. Går også fint i dag.

Skal bare være mig selv. (Hvem er det lige, det er ...?).

Kl. 22.30

Æv.

Æv-æv-æv-æv-æv.

Gider faktisk ikke rigtig at snakke om det her.

Sidder i sofaen i mit ældste trøste-nattøj. M. dumpestemning i hele hytten.

Gik ikke særlig godt, vel. Som i slet ikke.

Havde nok lidt håbet på, at de dér hans børn ville kaste sig om halsen på mig og elske mig ubetinget. Åbenbart ikke helt realistisk.

Ankom i rækkerne iført ALT for meget slik. Som straks blev disset af teenagepige, fordi der, som hun sagde, er »giga mange farvestoffer i det dér«. Hvorefter hun skred ind på værelset. Og ikke rigtig gad komme ud igen.

Så sad jeg dér. På blåt filttæppe i drengeværelse m. bil i hånden og prøvede at sige »WRRRRRN, WREEEENNNN, WRN«, så det lød, som om jeg mente det. Mens Niels afslappet daskede rundt på etagerne og ordnede et eller andet.

Nå, men drengen var faktisk sød. Havde jo bare troet, at det var pigen, jeg skulle connecte med. Som i: Nå, men vi låner da tit tøj af hinanden.

Kom så også lige t. at træde en cd i stykker, da jeg ville gå ind og sige farvel til hende. Tænkte ellers, at det måske kunne udvikle sig til, at jeg blev hængende derinde lidt og fik sagt noget pænt om hendes værelse. Skyndte mig at love, at jeg nok skulle købe en ny til hende. Men så ringede hendes mobiltelefon. Og så var den audiens ligesom ovre.

Forsøgte at hente lidt trøst hos Niels ude i køkkenet. Men han syntes, det var gået fint. Og »sådan er det jo«. Og »hun er bare teenager. Og genert. Hun gider sgu heller ikke altid at snakke med mig«. Og »det gik da godt med Joakim. Hvor er du sød ved ham«.

Følte mig tyk og grim og usikker, da jeg travede hjem langs Søerne. Uden Mary P.-paraply. I pisregnvejr. Ville ønske, jeg havde scoret et par poser slik, inden jeg gik. Kunne faktisk godt bruge nogle farvestoffer lige nu.

Kl. 23.59

Nå. Okay. Har tænkt over det. Gik faktisk heller ikke skidegodt for Julia Roberts i *Stepmom* i begyndelsen. Selv om hun havde billetter t. alt muligt.

Jeg skal bare tage det roligt. Og lade hende komme til mig.

Det kan jeg godt.

Jeg er et rummeligt menneske.

...

MEN JEG GIDER FANDME BARE IKKE, AT HUN GÅR HJEM OG SIGER NOGET GRIMT OM MIG TIL SIN MOR.

Nonfood-junkie

Søndag kl. 16.43
Hm. Synes jeg hørte ekkoet af et Nettokatalog, der landede
i entreen.
...

Don't. Lad være. Gør det ikke.
Bare lad det ligge. Det ligger FINT derude.
Read my lips: Der skal IKKE skaffes mere sandfarvet
nonfood t. matriklen i 2003.
Spor mere. Overhovedet.

Kl. 17.12
Har godt nok fri i morgen. Men for at rydde op og gøre
rent, du!
Har også kun røde kroner på kontoen. Fik brev fra bank i
går. Meddelte at de havde flyttet 10.000 kroner fra Bjørgs
opsparingskonto over t. min lønkonto. For at undgå 'dyre
overtræksrenter'.
Sig mig engang: Hvordan kan de egentlig bare disponere
over mine midler på den måde? Bestiller de så også plud-
selig en sommerferie til én? Hvad nu, hvis jeg rigtig, rigtig
gerne ville have de strafrenter?
I øvrigt skal Bjørg overhovedet ikke blandes ind i det dér.
Det er et helt personligt anliggende. Dårlig økonomi skal
ikke gå i arv.
Og så tillader de sig oven i købet at skrive 'med venlig
hilsen'.

Kl. 17.13
Årh, altså. Kan mærke, at det stadig ligger derude. Og prø-
ver at gøre sig interessant.

Kl. 17.14
Godt, så. Hvis sådan et lille pøbelgult katalog ikke kan
forstå en fin hentydning, så bliver det på den hårde måde.
Tager gummihandsker på og bærer det direkte ud i affalds-

skakten. Kan ikke tåle at have den slags i huset. Folk har jo ligesom heller ikke cigaretter flydende alle vegne, når de prøver at holde op med at ryge, vel.

Og MÅ definitivt ikke shoppe nonfood i lavprisbutikker mere. Alt for spild af penge. Alt for pladskrævende. Og alt for lavstatus.

Har også fået mand i liv. Duer ikke at byde mænd de dér yndighedstrip. Umuligt at tage dem alvorligt, når de har sovet i blomstret bæk og bølge-sengetøj. Eller drukket øl af glas m. lyserødt blomstermotiv. Ganske enkelt kastreren-de.

...

Får det pludselig helt dårligt v. tanken om alle de mænd, der må se fodbold i fjernsynet lænet op ad sofapude m. blonder, pailletter og englemotiv. Og spise deres million-bøf på småblomstrede voksduge.

Lever fandeme nærmest som statsløst folk. Klemt ned i kvinders lyserøde drøm. Mellem nostalgiske vattæpper og billedrammer m. glasperler på.

Selv når de skider, er de kraftedeme nødt t. at gøre det på idyllisk gennemsigtigt bræt m. rosenmotiv. Der sidder de så. Med deres store, behårede røv. Og er til grin.

Så er det bare, jeg spørger: Hvordan skal en mand have et sexliv i det dér? Han kan jo ikke engang få en regulær rejsning, uden at hjemmets kvindelige interior decorator kommer spænende og hænger en lille kurv på med et tændt fyrfadslys i. Eller én, to, tre vikler en romantisk lys-kæde omkring den.

Kl. 17.21

Har godt nok selv 36 kvadratmeter voksdug, nogle kilo vattæpper, 16-17 tekstilbeklædte kurve og lyseblå og sand-farvede stofposer t. alt.

Måtte faktisk tage en kold tekstiltyrker i september. Efter indian summer, som nærmest blev tilbragt i Kvicklys non-food-afdeling.

Men derfor kan jeg jo godt lige kigge. I kataloget altså.

Kl. 17.23

Hm. Hvad er det for et rødt og sandfarvet tema, de kører?

Mangler faktisk julesok-agtig ting t. Bjørgs kalenderga-ver. Kunne godt være stofpose på side 10 m. noget hjerte-værk på og en snor i toppen.

Hm. Også ret sød engleserie på side 8 og 9. Der er både gavepapir, juleklippeark, lys og notesbøger.

...

Kan jo godt lige kigge derned i morgen tidlig, når jeg har afleveret Bjørg. Skal jo alligevel købe mælk og den slags.

Mandag kl. 12.14

Århh. Gik galt. På den tunge måde.

Arme ryster af overanstrengelse og hele ryggen dunker. Og nu står det hele på gulvet, fandeme.

Liste over ene-indkøbs-ulykke i Netto:

En stor pose forgyldte grankogler.

Tre ruller cremefarvet gavepapir m. englemotiv.

Juleforklæde – i sand og bordeaux (Hvad foregår der oppe i hjernen på dig, kone?).

Hvide bloklys – i forkert størrelse og form.

Cremefarvet dekorationsbånd m. ståltråd.

To dækkeservietter m. blondekant – i sand og bordeaux.

Nytårsknallerter m. englemotiv. 1 pk. sandfarvet og 1 pk. lyseblå.

Udendørslys m. englemotiv.

Syltehætter – i sand og bordeaux (Burde gå med dem på hovedet i hele december som straf).

Liste over ene-indkøbs-ulykke i Fakta (Nå, ja. Listede bare lige ind på hjemvejen. Tog hverken kurv eller vogn):

Juletræslys, hvide, tre pakker.

Hvide bloklys – i rigtig størrelse og form.

Fire meget tykke guldfarvede lys t. adventskrans (Ligner ben på seng i bordel).

Syge mørkerøde bær på pind t. at stoppe ned i juledekora-tioner.

Ubestemmelige perler på pind t. at stoppe ned i juledekorationer.

Julestickers t. pakkekalender (Hvorfor hedder det ikke klistermærker længere? Julestickers. Lyder som de spydigheder, man siger til sin mor i december måned).

Fyrfadslys (Måtte bære posen i munden hen t. kassen. Skulle måske alligevel have taget kurv).

Viskestykker, sandfarvede (Fragtet fastklemt mellem bryst og hage de sidste afgørende meter).

Meget lille kurv beklædt indvendig m. sandfarvet tekstil (Presset ind i armhulen).

Hvad ER det med de butikker? Hvad var der egentlig galt med bare at sælge fødevarer? Hvorfor skal de nu alle sammen have det dér kurvede, sandfarvede areal? Og hvorfor virker det? Hver gang?

Havde garanteret også taget pakke m. otte kødnåle, hvis bare de havde været sandfarvede.

Kl. 12.59
Nå, må rydde et par hylder et eller andet sted t. alt det bras. Og lave personlig handlingsplan for resten af året. M. overskriften 'Nynne ud af nonfood-miljøet'.

Kunne selvfølgelig anskaffe 'Reklamer nej tak'-mærkat til døren. (Har kun hjemmelavet 'www.aarstiderne nej tak' skilt på hoveddør. Fabrikeret sammen m. Anna inde fra arbejdet i mellemstor irritationsbrandert. I affekt over at man kan få leveret biodynamisk selvfedhed i trækasser én gang om ugen).

Nej, duer ikke. Så får jeg jo heller ikke julekatalogerne fra Illum og Magasin, vel?

Kl. 13.12
Nå. Købte også Billed-Bladet. Må godt lige kigge i det, inden jeg begynder at gøre rent.

Kl. 13.21
Gud, er prins Charles homo?

189

Så kan jeg sgu da pludselig bedre forstå, han har været forelsket i Camilla Parker-Bowles i 30 år.

Kl. 15.12

Ikke meget læsestof i sådan et dyrt blad. Nå, men kan vist godt lige nå at rydde op efter morgenmaden, inden jeg henter Bjørg. Må støvsuge en anden gang.

Kl. 16.18

Arj, helt ærligt.

Glemte kraftedeme at købe aftensmad.

Det skulle jeg så nok
ikke have gjort

Onsdag kl. 07.23
Hvorfor skal hun tale så højt i telefonen? Hun sidder jo ikke i Cape Town, vel?
Fik opkald fra Husum for tretten minutter siden. Fra pensionist m. alt for meget tid og alt for lidt situationsfornemmelse. Som bare lige ville huske mig på, at Bjørg skal til tandlægen kl. 9.
...
Hvad?
Undskyld, men hvem er det lige, der er moren i den her familie? Jeg har ikke bestilt det dér.
Føles, som om jeg har uønsket overjeg siddende ude i Outlaw. I døgnvagt.
Faktisk ikke mit problem, at hun har overstået hele dagens program, før resten af samfundet får sko på. Og begynder at blive rastløs allerede hen ad 6.45.
Om jeg har husket, at hun skal til tandlægen ...
Ja, det har jeg tilfældigvis. Og hvis jeg havde glemt det, er det stadig ikke hendes problem. Jeg er 39 år, for crying out loud.
Nogen burde fandeme justere på konens blandingsbatteri.

Torsdag kl. 21.49
Skal til sådan noget middag i morgen aften. M. en masse par. Ovre i børnelægens vennekreds. For første gang.
SKAL gøre godt indtryk. Og være meget, meget pæn.
Svært. Har vist taget en del på. Er kommet til at opdage hjemmelavede flødeboller m. marcipanbund fra Summerbird i Kronprinsensgade.
Er så også kommet til at opdage, at man stadig kan få kuvert-skinkeost i kantinen. Og at der sagtens kan være tre af dem i mellemstor croissant. Uden nogen opdager det.

Nå. Men bundlinjen er, at jeg ikke rigtig kan passe noget af mit tøj. Har akut behov for parasit. Diarré eneste udvej, hvis jeg skal nå at tabe mig radikalt.

Skulle måske prøve at finde smittekæde på nettet.

Eller ekspresdiætist.

Kl. 21.54
Ved heller ikke, om jeg skal være klassisk eller corny.

Kl. 22.13
Ok. Det kan godt være, at han er dr.med. og alt muligt. Men er til gengæld fuldstændig UBRUGELIG som tekstilkonsulent.

»Bare tag et eller andet på. Du er altid pæn«.

Løgn.

Løgn, løgn, løgn.

Sig mig en gang: Har han OVERHOVEDET ikke opdaget, hvor grim jeg kan være under de rette omstændigheder? Når jeg lige har været i svømmehallen for eksempel. Eller når jeg cykler. Eller har øjenbetændelse. Eller bare når man ser mig i profil.

Nå, men jeg er åbenbart alene med det her. Må bare finde baggy kreation et sted i skab. Og køre resten hjem på personligheden.

Kl. 23.10
Undskyld, men var der ikke engang, hvor det var skide kikset at invitere til parmiddag?

Hvad er der blevet af de dér store fester, hvor man selv havde vin med, dansede t. man fik en fibersprængning, fornærmede alle og sang 'Mona, Mona, Mona' solo i køkkenet?

Nu består hele ens sparsomme sociale liv af andengangsbryllupper, 40-års fødselsdage og så de dér skadesløse middage, hvor det er to-tabellen, der bestemmer, hvem der skal inviteres.

Lørdag kl. 11.15
Åhh, nej.

Det skete ikke.

Jeg nægter simpelt hen at tro på, at jeg gjorde det igen. Og så i dét selskab. Er notorisk til skade for mig selv og mine omgivelser.

Vågnede op t. gigantiske tømmermænd, pletvis hukommelse og temmelig stille børnelæge. Må nok bare se i øjnene, at jeg ikke bliver dansk mester i kategorien 'Årets bedste førstehåndsindtryk'.

Var åbenbart ret nervøs v. ankomst hos Bjørn (øjenkirurg) og Tine (tandlæge) i Lille Strandstræde i aftes. Kædedrak derfor lige en stribe velkomst-gin-tonics inden middagen. På lidt for tom mave. Kom ret hurtigt i godt og selvsikkert humør.

Og så kørte hele bussen ellers m. hvidvin, rødvin og cognac. Kan faktisk ikke huske, om jeg rigtig fik noget at spise. Til gengæld var jeg ubetinget den første på dansegulvet allerede i udkanten af desserten.

Børnelæge var sød. Og prøvede at kamuflere (staves det virkelig sådan nu?), at jeg var solo på gulvet v. at komme op og gribe mig i kærlig fiksering.

Fik dog hurtigt svinget mig løs og ud på gulvet igen, råbte »Kom så ALLE SAMMEN« og lod Travolta-pegefingeren køre stuen rundt ledsaget af et »Og dig og dig og dig og DIG!«.

Lykkedes faktisk at få sat rimelig meget gang i den parmiddag. Var dj, miksede drinks t. alle og optrådte m. mine bedste øl- og cigarettricks. Tror jeg i hvert fald.

For resten af aftenen har jeg egentlig kun i glimt. Og med en del fedt på linsen.

Kan dog huske, at Niels på et tidspunkt kom med en cola til mig.

Det skulle han så nok ikke have gjort. Fik sagt ret højt, at jeg nok selv skulle sige til, hvis jeg fik brug for en læge. Og at jeg i øvrigt havde helt styr på min promille.

Det kunne helt klart diskuteres. Eftersom jeg øjeblikket efter glemte at gribe mig selv i et jitterbug-sving, røg baglæns gennem stuen og parallelparkerede ryggen i stereoanlægget med et brag. Hvorefter hele musikarrangementet kastede sig ud fra reolen og ned mod parketgulvet.

Det skulle det så nok ikke have gjort. Det var i hvert fald enden på det B&O-anlæg. Og på den fest.

Selskabet tog det faktisk pænt. Og Niels var sød. Men kunne godt mærke, at han nedenunder var en anelse træt af at være nattevagt for en adfærdsvanskelig.

Må simpelt hen snart erkende, at jeg er alt, alt for gammel og har alt, alt for meget løs hud til at kunne bære sådan en brandert igennem på charmen.

Nu er Niels taget på arbejde. Er vist ikke spor sur. Siger, at vi jo »bare kan få nogle andre venner«.

Det er også alt sammen udmærket. Problemet er bare, at han sikkert tror, det var en engangsforestilling. Og at jeg godt selv ved, at i aftes var et langt mere reelt bud på min personlighed end alle de smoothies og smarte statements, som jeg har gjort mig til med de seneste to måneder.

Kl. 11.22
Nå. Men i det mindste har man da ikke en signalgrøn bil holdende nede på parkeringspladsen.

Jul på Ground Zero

Fredag kl. 10.19

Undskyld, men hvad foregår der ovre i efterårsbranchen i øjeblikket? Hvor blev de dér oktober og november af?

Om ti minutter er det 1. december. Er overhovedet ikke klar. Ved simpelt hen ikke, hvordan jeg skal nå at få guld- og glimmerfarvet liv t. brug i julemåneden.

Har ikke kunnet købe et ærligt ugeblad i de seneste fire uger, uden at blive intimideret af kæmpefotos fra overnaturligt rene og ryddelige hjem m. korrekt doseret juleudsmykning i vissent og gyldent. Og de har fandeme altid pejs, ikke. Og der er fandeme altid nogen hjemme til at sætte ild i den.

Vil vædde på, at de dér juletillæg er sponsoreret af Dansk Psykologforening. Og nu sidder de bare og venter ude i konsultationerne. På at alle kommer krybende med deres mindreværd. Og følelsen af ikke at slå til. Fordi man slet ikke aner, hvordan man griber et gyldent tema an.

Hvem er det egentlig, der bor i de dér modelhjem, hvor nogen bare lige er svævet gennem stuen og har stukket en krans op her og der?

Der er jo aldrig nogen mennesker på de billeder. Andet end et dekorativt barn i bordeauxfarvet velourjulekjole, som sidder m. noget skrøbeligt julepynt fra 1910 i skødet.

(Men hvad skulle sådan et barn også ellers lave? Bor tydeligvis i værelse, hvor man ikke må lege. Og hvor alt ufotogent er pakket ned i dekorative kurve m. låg. Der skulle jo nødig opstå spontan rod i Fætter BR-farver).

Puhh, altså. Har selv elendigt udgangspunkt. Og lyst til bare at give op. Kræver 24 personer fra ISS iført hvide heldragter og spulekanoner, før der overhovedet bliver plads til at pynte op herhjemme.

Gør ikke så meget til daglig. Men ALTID problem i december. Man kan jo ikke julepynte en losseplads, vel. Og bare lægge noget nisse på toppen af en stak gammelt toastbrød.

Har bolig m. uafklarede ting og sager OVERALT. Som aldrig kommer på plads. Fordi der slet ikke ER nogen plads til dem. Stabler af aviser og blade, yatzyspil, børnetegninger og en hank, der er røget af noget. Uspecificerede sutter, filtdupper t. stoleben, ufremkaldte film og vitaminpiller. Pensler, perleplader, målebånd fra Ikea, videofilm, poser m. fyrfadslys og store papirbunker med usorteret dårlig samvittighed i metermål. Malerruller, batterier, skifterammer, som er gået lidt i stykker, hårelastikker og en milliard Ikea-items, ingen orker at pakke ud. Fordi man i mellemtiden har mistet interessen for at sætte florlette gardiner op i soveværelse. Og bonen til at få hele lortet byttet.

Nogen har et hjem. Jeg har 80 kvadratmeter on-going indretningsprojekt. M. samme tidshorisont som genopbygningen af Ground Zero.

Kl. 13.15

Ups.

Er jo også nødt til at pynte op på 2-årigs værelse. Har desværre indført meget krævende tradition med vattotter på vinduet. Som klistrer bedst m. ækel blanding af mel og vand.

Tager hundrede år.

...

Kan man ikke bare sætte et par stykker op i det ene hjørne og så skrive 'osv.'.

Kl. 13.17

Hm.

Tydeligvis ikke skilt person, der har opfundet det dér pakkekalender.

Vil meget gerne have stor hessiantæppeting m. messingringe og selvglade filtnisser hængende over Bjørgs seng m. 24 ens indpakkede smågaver på.

Men så er det bare, jeg spørger: Hvordan cykler man gennem København med sådan en fanden på 2x1 meter flagrende efter sig hver anden uge?

Kl. 13.19
End of discussion. Det bliver en julesok. Som kan være i skilsmissetasken.

Bonus: Behøver ikke at have alle 24 pakker klar 1. december.

Kl. 14.08
HVORDAN SATAN I LUFTEN BINDER MAN ET JULE-NEG FAST TIL 3. SALS VINDUE I ALMENT BOLIGBYG-GERI UDEN KRUMMELURER FRA 1800-TALLET???

Lørdag kl. 08.16
Hvor er hende dér Mette Kofoed Bjørnsen?

Vil have forligskvinde og -institution. Nu.

Har forhandlet frem til kl. 04.30 m. freelancefar over telefonen.

Forstår ikke konceptet. Er faktisk blevet skilt, fordi jeg ikke gad skændes med ham mere. Planen var, vi skulle ud af hinandens liv, ikke?

Hvem er det så lige, der har glemt at fortælle én, at man fra nu af og til efterlønsalderen skal bruge mere tid på at diskutere med ham end på at sætte sit hår pænt?

Nå. Men han er tilsyneladende urokkelig. VIL have Bjørg med til hytte i Norge m. bedsteforældre, onkler og tanter i julen.

Agter at bortføre hende m. Oslobåden 22. december. Og først bringe hende retur 29. december.

Er der ikke en eller anden, der kan stikke ham en fotoopgave i Tyrkiet eller omegn hen over jul og nytår? Eller bare en flad?

Ved inderst inde godt, at jeg ikke har særlig god sag.

Det bliver jo sjovt for hende m. snevejr og alting, ikke. I stedet for at sidde i Outlaw m. pensioneret granmaniker og undertegnede. Er jo ikke engang folk nok til at nå rundt om meget lille juletræ.

...

Kan bare ikke bære det.

Helt ærligt.

Må man ikke nok være sammen med sine børn juleaften?
Når man nu har født dem og dét.

Kl. 08.18
Kunne man eventuelt smitte hende m. noget dramatisk –
men ufarligt – så hun ikke kan komme med?
Og som går HELT væk præcis kl. 17.59 juleaften?

Kl. 10.12
Nå.
Det var det. Så er julen definitivt ødelagt.
Ringede t. børnelæge på konference i Aalborg for at få
opbakning og trøst. Hvilket bare spredte julen over endnu
mere af Skandinavien.
For hvor skal Niels holde jul? I kartoffelrækkerne? Nej.
Hos mig? Well, ikke helt. Hos de syge børn på Riget? Nej.
Han skal sørme til Sverige. På ødegården. Med eksko-
nen. Og børnene. Som de gør hvert år.
Men som han siger: »Du skal da med, skat«.
Av, ja, skat. Hvor skal jeg lige med. Og hvor bliver det
bare rigtig, rigtig hyggeligt. Og skal jeg ikke lave en forret?
Kors i et eller andet.
Hvor rummelig kan man lige være på én dag?

Kl. 13.21
FUCK! Børnenes U-landskalender.
Er det ikke noget med, at det er i bankerne, det foregår?
Hvor får jeg den henne i weekenden?

Kl. 15.32
Ingen steder, skulle det vise sig. Må feberredde på mandag.
Fik til gengæld Billed-Bladet. Og en times samvær m.
kendte mennesker, der ikke siger mig imod.

Kl. 15.43
Hm. Hugh Grant har tilsyneladende haft kæreste i tre år.
...
Man kan da heller ikke stole på nogen længere.

Kl. 17.12

Jo, man kan. Anders for eksempel.

Har lige ringet og inviteret mig til 1. søndag i advent. Vi skal se ishockey på Zulu, spille Derby og lave hver sin adventskrans med fire juleøl i.

Og man må gerne drikke alle fire søndage på én gang.

DECEMBER

Har krøbet rundt i skunk i tagetagen og haft fat i løse gulvbrædder m. en gaffel.

Opgør m. åben gylp

Mandag kl. 14.01
Puha, tømmermænd.

Sidder her på kontor. M. ansigt låst i 'jeg-skal-læse-noget-med-MEGET-småt' udtryk.

Er der ikke nogen, der gider prikke til mig og fortælle mig, at jeg er blevet voksen?

Har det som baby, der ikke kan holde hovedet selv, fordi det er for tungt. Har låst døren ud til gangen og sat telefonsvareren til. Orker ikke at få nogen opgaver lige nu.

Århhhh. Det blev ikke engang sent. Kom faktisk hjem fra adventsarrangement hos Anders i god ro og orden v. 23.30-tiden. Efter total overlegen Derby-sejr.

Sov ni timer i træk. Uden opkastninger.

Hvorfor så al den hovedpine? Har vel rundt regnet drukket en X-Mas i timen fra klokken 15.00 og frem til midnat. Burde da kunne klares af indre forbrændingsanlæg. Eller er hele lortet gået på tidlig juleferie?

SÅ! Må fuldstændig tage mig sammen. Skal hente Bjørg i vuggestuen om mindre end to timer. Totalt uacceptabelt at stå i integreret institution 1. december iført gammel juleånde og shhhhhh!-humør.

Øv. Er træt af mig selv. Troede, vi var blevet enige om, at jeg er for gammel til det her.

Nå. I det mindste ikke involveret i nogen forsikringssag m. B&O-anlæg denne gang.

...

Hvem er det, der tager i døren?

Sorry. Åbner altså ikke. Kan lige nå at ligge en halv time. Ind over skrivebordet. M. venstre øre ned i tastaturet. Som i en slags afspadsering.

Christ, hvor er jeg træt ...

Eneste trøst er, at Anders sidder tre kontorer herfra og har det ligesådan.

Taber.

Kl. 15.12
Arj. Nu skal der fandengaleme styr på tingene. Konsulterer
én af dem m. striberne på vej hjem.

Kl. 15.41
Location:
Matas.

Mål:
Instant overskud og sundhed på takeaway-måden.

Kl. 15.43
Undskyld, men hvad foregår der ovre i velværebranchen i
øjeblikket?

Troede, det her kunne klares m. en overdosis vitaminpil-
ler. Men er tilsyneladende gået ind i røddernes og minera-
lernes årtusinde. Skal nærmest være cand.pharm. for at
hitte rundt i alle de her hyldemeter helse.

Nå. Tager sgu lidt af hvert. Kan ikke skade. Har faktisk
en del, der skal rettes op på. (Et helt liv for eksempel).

Bio-Strath – 'Mere at stå imod med' (Meget needed. Især
over for egne pludselige indfald. Den er taget).

Stærke ingefærtabletter (Er det ikke sådan noget, man
bruger til sushi? Nå. Sikkert godt. Én af dem).

Galangarod (Nix. Lyder for danseagtigt).

Fiskeolie (Must have. Dog meget ulækkert koncept.
Hvad hvis man pludselig skal obduceres? Ikke særlig ap-
petitligt for retsmediciner at stå m. hænderne i sådan et sæt
olierede indvolde. Nå. Dem om dét. Ned i kurven m. den).

Ginkgo Biloba m. flavonoider og terpener (Lyder som
noget fra *Harry Potter*. Men åbenbart godt mod susen for
ørerne. Hit med dén).

Gelé Royal – 'Stoffet, der forvandler en almindelig ar-
bejdsbi til en stor, frugtbar bidronning' (Lidt usikker på
dén. Har jeg lyst til at være det? Nok svært m. lavtaljede
jeans).

Tranebærsaft (Helt afgjort. Lyder effektivt. Lidt ligesom
Ajax. En af dem. Nej to).

Silica – 'Med organisk siliciumkompleks' (Er det ikke det, man plejer at kalde mindreværd? Ikke mere af det, tak).

Rød solhat (Så stopper vi. Lyder, som om man skal til Gran Canaria).

C-vitaminer (Ja. Good old. Endelig noget, jeg kender. Et magnumglas af dem).

Hm.

Der er også spelt. Og vilde ris. Og bulgur.

Skulle man evt. foretage omlægning af kost?

Nej. Alt, alt for omfattende. Ville tage kalenderår bare at lokalisere alle de skjulte fedt- og slikdepoter, jeg har i lejligheden. (Hos ældre mennesker flagrer der pengesedler ud af bøgerne, når de rydder dødsboet. Når der skal cleanes efter mig, skvatter der garanteret grå piratosser ud, ligegyldigt hvad de rører ved.

Er heller ikke ligefrem prototypen på en makrobiotiker.

...

Bulgur.

Meget ulækkert ord. Lyder som skurken i *Hodja fra Pjort*.

Kl. 16.01

Tak-skao-ha!

Håber, det her bare er en flygtig affære. Har helt klart ikke råd t. godt helbred i det lange løb. Måtte kraftedeme slippe 1.136 kroner for hele det dér bivoksprojekt. Men så fik jeg selvfølgelig også en rulle vatrondeller og et glas børnevitaminer med i købet.

Tirsdag

Er fuldstændigt morgenmanisk af alle de kosttilskud. Heldigvis hverken fart- eller dopingkontrol på Østerbrogade. Stemplede rundt i pedalerne hele vejen til arbejde som meget syg person. Sikkert ren placebo. Falder nok om kl. 13.00. Eller får rasende lyst t. remoulade.

Nå. Har faktisk brug for overskud. Selv i indbildt udgave. I aften kommer Niels. Og der er det så, at jeg lige skal forklare ham, hvorfor jeg ikke skal holde jul m. ham og hans designereks i Sverige.

Onsdag

Hm. Gik mærkeligt.

Har haft første 'det vil jeg bare ikke'- konfrontation m. børnelæge.

Efter to en halv måneds forelsket storsind på alle hylder var jeg desværre nødt til at punktere sæbeboblen. Med Nordeuropas største hæklenål.

Forsøgte først at slippe med et »jeg er nødt til at være hos min mor i julen«. Men pædiater-svaret var, at »hun da også bare kunne tage med«.

Og så var det, vi var nødt til at gå til kernen. Som er, at det er helt ok, at han skal holde jul med sine børn. Og at det er forholdsvis ok, at han også skal holde jul med deres mor. (I hvert fald i princippet). Men at det er fuldstændigt og aldeles udelukket, at jeg skal sidde og slås m. designereks om mandlen juleaften.

Børnelæge fangede det ikke umiddelbart.

»Jeg forstår ikke, at du vil lave et problem ud af det. Katja (KATJA???) har det helt fint med, at du er der. Virkelig«.

Sagde han. Og begyndte så at tage sit tøj af. For nu syntes han egentlig bare, at vi skulle have noget sex.

Så står man dér. M. alle sine ord og klamrer sig til sin bh. Og insisterer på, at »vi liiige taler det her færdigt, Niels«.

Hvorefter børnelæge, halvvejs ude af cowboybukserne, slog sig opgivende ned i sofa m. åben dr. med.-gylp og et »jamen, jeg forstår ikke, hvad der er i vejen. Jeg vil bare gerne holde jul sammen med dig«.

Forsøgte mig med en masse fagter, ord og plancher, der kun udløste et »Ok, så. Men jeg kommer til at savne dig«, og »Skal vi så ikke gå i seng nu ...?«.

Følte mig ikke ligefrem forstået. Men smed dog bh'en. Og gik i seng. Havde fremmed og lidt kikset sex og sov ad helvedes til bagefter.

...

Og det er ikke engang det værste. Der er stadig Bjørg. Og VORES juleaften.

...

Kan man egentlig stadig hyre ham dér børnebortføreren Laue Traberg Smidt?

Og hvor er min Bio-Strath?

Helt ude i skunken

Mandag

Ja. Okay. Big deal. Så skal de have topmøde henne i EU.
Det er vi faktisk også andre, der skal. Uden spindoktorer
og sekretærbistand.

Skal til juleklip i rækkerne. Lyder fredeligt, men er i vir-
keligheden dækarrangement for større familiesammenfø-
ring. Som i: Bjørg møder Joakim og Sille. Og de voksne står
i hjørnet m. store papmachesmil.

Ville faktisk være meget nemmere at overskue, hvis det
bare var Spanien og Polen, der var sure. Her er det tre børn
i alderen 2-13 år, der skal have lykkeligt, sammenbragt liv.

Nå. Er faktisk rimelig hård til papirstjerner. Ligesom jeg
af uforklarlige årsager er en ørn t. at finde rundt på uden-
landske motorvejsnet. Sært, at man har stærkt oplyste plet-
ter, når resten bare er ørken – ét stort sandet virvar af don't-
knowhow.

Tirsdag

Hov.

Hvad sker der?

Gik faktisk godt.

Næsten som i succes.

Joakim og jeg lavede musetrapper. MANGE musetrap-
per. Sille trådte ud af teenageværelset og forelskede sig i
Bjørg. Og jeg røg åbenbart med i købet.

Etapesejr til storfamilien.

Onsdag

Undskyld, men hvad foregår der egentlig ovre i kronprin-
sessebranchen i øjeblikket? Der er blevet så underligt stille
på det seneste.

Bare hun ikke sidder inde på Amalienborg og holder sig
for ørerne.

Håber, at det bare er fordi, hun har det godt.

Ikke for at blande mig. Men måske skulle hun liiiiige
tænke det igennem én gang til.

Fredag kl. 10.12

Arbejder hjemme. Hos Niels. Børnelæge har fået splinterny computer. M. fladskærm. Og blåt lys i tastaturet.

Havde planlagt at tage hjem t. mig selv og skrive rapport. Men dr.med. spurgte, om jeg ikke ville blive her. Hvor der er hurtig internetforbindelse, klinisk ryddet palisanderskrivebord, low-key-jazz på cd og Max Havelaar-kaffe i køkkenet.

Har allerede skrevet to sider, fordi alting er så zen og ordentligt. Fantastisk ikke at blive forstyrret af eget rod, bakterier i køleskab og kimende telefon.

Får lyst til bare at sende mit liv på Vestforbrænding og rykke ind i hans. Selv trådløs telefon har diskret B&O-agtig lyd, når den ringer.

Kl. 11.48

Så. Pause.

...

Nå.

...

Kunne jo godt lige tage en hurtig ransagning. Uden kendelse.

Kl. 11.49

Where to start? Hylde m. mapper ser for kedelig ud. Man sætter ikke hemmeligheder i ringbind.

Må på jagt efter rodet skuffe m. intime breve og telefonnumre noteret på gamle dankortboner. Og familie- og feriefotos, hvor han ser trist ud, fordi han ikke har mødt mig endnu.

Kl. 13.57

Hm. Det var alligevel satans.

Har været overalt. Oprejst, på alle fire og på maven ind under hans seng. Har befølt møbler på strissermåden, banket efter hulrum i væggene, krøbet rundt i skunk i tagetagen og haft fat i løse gulvbrædder m. en gaffel.

Har kort sagt været fuldstændigt oppe i fugl, helt nede i fisk og meget grundigt midt imellem. Det brænder bare ingen steder. Overhovedet.

Det kan jo ikke være rigtigt det her, for helvede. Har lyst t. at hente en brødkniv og sprætte hele sofaarrangementet op. Ingen virkelige mennesker har fortid uden bilag.

Kan betyde tre ting:
1. Enten er der virkelig ikke noget.
2. Eller også er det så alvorligt, at han opbevarer det i bankboks.
3. Eller også er han afhopper fra et eller andet totalitært og har fået ny identitet af efterretningstjenesten.

Hvad?

Hvad var det?

Jävla trådløse.

Skal jeg tage den?

Altså, jeg bor her jo ikke. Har heller ikke lyst t. at tale med nogen midt i ransagning. Måske kan de høre, at jeg står m. begge hænder langt nede i hans privatliv.

Nå. Nu går den på telefonsvareren. »Du har ringet til Niels Mathiesen. Jeg kan ikke tage telefonen lige nu, men læg en besked«.

...

»Hej skat, det er mig. Tag lige telefonen, hvis du stadig er der«.

Kl. 14.08

Hvor ER det her flovt. Og usympatisk. Har voksen kæreste, som ringer for at sige tak for sex. Og for at høre om jeg har det godt. Og om der er noget, jeg skal bruge, som jeg ikke kan finde.

Og han har umoden psykopat, der jorder rundt i hele hans indbo.

Nu tager jeg mig sammen. Laver kaffe og skriver.

For fanden, altså. Tænk hvis han havde set mig i den skunk. I hamsterstilling. M. lommelygte i munden og rockwool i håret.

Nå.

Tilbage til tasterne.

'... deraf kan vi konkludere, at hvis projektet skal lykkes inden for den nuværende tidsramme og med de kreative ressourcer, der er lagt op til, så kræver det tre ting: 1. At vi inden nytår får skudt mindst halvde...' FUUUUCK.

FUCK-FUCK-FUCK!

KLUD-KLUD-KLUD-KLUD!

Århh, nej, nej, nej, nej. Fire deciliter caffè latte m. masser af rørsukker lige ned i tastaturet.

Århhhhh, hjælp, altså. Hele alfabetet sejler i klistret, lyse-brun væske.

Hvad gør jeg?

På hovedet m. lortet, så det kan løbe ud.

Duer ikke. Det vil jo ikke UD, vel. Af med ledningen. Og ind under bruseren med det.

Sådan. Bliver nødt til at skille det ad og få det tørret. Sille må sgu da have en hårtørrer et sted.

...

Fundet! Fuld styrke på BaByliss 300. Det SKAL blive sig selv igen. Han har lige fået det. Af Rigshospitalet.

Hvad sker der her ...? Hvorfor bliver det nu flydende?

Christ. Hele indmaden muterer. Det er fandeme smeltet. NEJ. Ikke nu. Ikke ringe nu!

»Hej, Niels ... det går fint. Jeg er snart færdig med rappor-ten, faktisk. (Og du er færdig med mig, når du opdager dét her). Hvad med dig? ... Hvad? ... NU? ... Jamen, FINT. Eller ... hyggeligt. Så ses vi om lidt«.

Okay. Jeg siger det bare, som det er.

...

Nej, jeg gør ikke.

...

Jeg samler det og lader som ingenting.

...

Eller skrider. Og lægger seddel om, at det alligevel ikke skal være os.

...

Fuck, nu kommer han.

Kl. 18.51

Hæ. Har ikke fået skideballe. Har fået sex.

Passede børnelæge op i entreen og forsøgte at forberede ham på tastaturkatastrofe m. en lang række af: »Prøv lige at hør her« og »der er noget, vi bliver nødt til at snakke om« og »det er min skyld« og »jeg skal aldrig gøre det igen« og »undskyld, undskyld, undskyld«.

Troede vist mindst, jeg var kommet til at partere et af børnene v. en fejltagelse. Da det gik op for ham, at ulykken var begrænset til A-Å, fik jeg december måneds længste kys. Og en opfordring til at skrive selvhjælpsbogen *Nynnes reparationsleksikon* m. undertitlen: *Det eneste du behøver er en håndbruser og en BaByliss.*

Blev underligt rørt. Og ramt af akut sandhedsserum. Inklusive tårer i øjnene. Og så stod det ellers ud af mig med: »Jeg har også været inde under din seng. Og i skunken. Og kropsvisiteret alle dine møbler«.

(Lang helt, helt ubærlig pause).

»Okay,« sagde lægen så.

»Du fandt ikke min tennisketsjer, vel? Den har jeg nemlig selv ledt efter længe«.

Var helt klart major ansigtstab. Men åbenbart ikke terminalt. Han smilede i hvert fald stadig, da han kaldte mig »en kæmpestor idiot«.

Nu er han gået ned efter pizza. M. parmaskinke og gorgonzola. Og så skal vi se *Smack the Pony* i tv.

Ikke for noget. Men tænk at man kan blive elsket, selv om man er helt ude i skunken.

Det er jo bare en talemåde, for fanden!

Søndag

Holdt firmajulefrokost i går. For mine egne folk. I rederiet Nynne. Bizar og absolut ikke fotoegnet forsamling. De havde heldigvis selv maden med. Bort lige set fra de karrysild, som jeg var kommet til at lyvelove at hjemmelave. Og som næsten skulle sparkes fri af det kviksand af en karrysauce, jeg havde fået klappet sammen.

Så så man lige os:

Natascha, der som sædvanlig drak gin & tonix til maden. I dyrt jakkesæt og tårnhøje støvler. Skide skarp, skide sjov og skide pæn. Og den eneste, der kan være det i nærheden af mit liv, uden det bliver ødelagt af det.

Og Bente. Som slet ikke aner, at hun ikke har noget liv. Som på 17. år sidder i et par turkise gamacher, der ser ud, som om de er rullet på som kondom. Som synes, at løsningen på alt begynder med kranio-sakral massage og healing. (Hvorfor er det lige, jeg kender hende?). Og som hele tiden prøver at lede samtalen hen på sin blege, treårige kæmpesøn Torsten, der i besvimende grad ligner chefredaktøren henne på Politiken.

Und die Merete. Som tilsyneladende ikke er seksuelt aktiv i øjeblikket. Har i hvert fald droppet swingerklubben til fordel for et formiddagskursus i tai-chi. Som hun går lige så passioneret op i. Står nu hver morgen som fugleskræmsel i slowmotion ude i havestuen. (Tænk at gide bruge en halv time på at bøje det ene knæ, når man nu uden problemer kan gøre det på et sekund).

Og Anna. I højt humør og på vej ind i en skilsmisse fra lille henrivende Dave, der nu om dage slet og ret bliver kaldt Dave. Han vil nemlig flytte alle sine 204 cm hjem til England. Og Anna vil ikke med. Til gengæld måtte hun finde sig i, at Anders lagde an på hende hele aftenen.

Og så mig. Som sad og blev en lillebitte smule lykkelig.

Over at være sammen med alle mine yndlingspsykopater på én gang. Også selv om jeg tabte i pakkespillet.

Look of the year: Da Anders åbnede den pakke, som alle havde kæmpet om. Og som viste sig at være en krystaldeo. Med kærlig hilsen Bente.

Endte ikke overraskende med at blive rigtig fest. Dansede til kl. 04.15 t. soundtracket fra *Love Actually*. Undtagen Anders og Anna, der pludselig var forsvundet. Og siden blev fundet kyssende i Bjørgs Peter Plys-sække-stol.

Hvilket på daværende tidspunkt virkede fuldstændig naturligt.

Verden er syg.

Nå.

Natascha blev og sov. Nu sidder vi her m. dyner i sofaen og ser Saddam.

(Har tilsyneladende taget det lige lovlig bogstaveligt, det dér med at gå under jorden. Det er jo bare en talemåde, for fanden).

Mandag
Fuck.

Er der overhovedet nogen, der har tænkt over, hvornår jeg skal købe julegaver?

Har ikke skaffet en eneste endnu.

Må hellere lave liste:

Bjørg:
Burde have: Kernefamilie.
Får: Dukkehus.

Mor:
Burde have: Kolossalt holdkæftbolsje, som hun kan arbej-de med hele januar måned.
Får: Enten friserslag (!), stor lup (¤%&/§!!!) eller taskepa-raply. (Er selv ude om det. Har skrevet ønskeseddel). Hvor må hun glæde sig til juleaften.

Niels:
Burde have: Anstrengt forhold til eks.
Får: Jul i Sverige. Og en gave, der kan klare sig i dét selskab. (Bliver dyrt. Som i læderæg fra Arne Jacobsen).

Anders:
Har fået.
Jeg sagde jo, at de kyssede i lørdags.

Natascha:
Har alt.
Får parfume fra Marc Jacobs.

Victoria:
Burde have: Sværere ved at tale.
Får: Prinsessekrone fra Eventyrkompagniet. Og fingermaling. (Hæ).

Onsdag
Hvorfor er der egentlig nogen, der udtaler onsdag m. o i stedet for å?
Lyder altså tåbeligt.

Torsdag kl. 23.01
Fuck.
PAKKEKALENDER. Har ellers ikke glemt det én eneste gang. Måtte godt nok pakke ni pebernødder ind forleden, da nissen var løbet tør for klistermærker og ligegyldige 10-kroners ting fra Tiger.
Hvad har jeg til i morgen?
Hvad fanden har jeg til i morgen?

Kl. 23.08
Øv. Hun bliver nødt til at få soundtracket til *Jesus og Josefine*.
Købte det ellers t. mig selv i går. Men vi er vist nogenlunde lige langt fra målgruppen.
Kan godt lige høre den lidt først.

Kl. 23.12

»Jeeeeesus og Jooosefine, troooøløse tidsmaskine«.

Hvad nu? Hvem tramper? Lyder, som om nøgen prøver at bryde ind i min lejlighed oppefra.

...

Århhh. Selvfølgelig. Det er dem. Ellers længe siden, de har været aktive.

Andre mennesker har hyggelige overboere, der kommer ned m. juledekorationer eller konfekt. Jeg har to gamle hysterikere, der lusker rundt m. hørelse som dobermænd. Og bare venter på, at jeg skal trække vejret, så de kan klage.

Gid deres fjernsyn går i stykker juleaften.

Fredag

JA.

Ja-ja-ja-ja-ja-ja-ja-ja-ja-ja-ja-JA!

Thomas har lige ringet. Og foreslået, at vi holder juleaften sammen. Hos mig. Så venter han med at køre til Norge med Bjørg til 1. juledag om morgenen.

Kunne næsten ikke være henne i mig selv af bar glæde. Tilbød med det samme at sørge for alt. Sagde også tak. Alt for mange gange. På 'det-løber-bare-ud-af-mig' måden. Som om jeg havde fået en Oscar. Uden at være nomineret.

Er tilsyneladende pludselig sprunget ud som helhedssøgende far. Eller også er han bare blevet sindssyg. Sagde i hvert fald flere gange, at »det jo nok er det bedste for Bjørg«.

Under alle omstændigheder helt fantastisk. Og lidt underligt. Omsorg, der normalt er forbeholdt hans dyreste fotoudstyr, omfatter tilsyneladende også Bjørg p.t.

Eller også er der bare nogen, der har givet ham det på.

Måske har han fået en kæreste.

...

(Hvad??? Har han fået en KÆRESTE?).

Glædelig paralleljul

Mandag kl. 13.31

Øv. Niels er rejst. Kom forbi på vejen t. Sverige sent i aftes m. børnene og kyssede farvel nede på gaden. Havde styrtkøbt hans gaver søndag eftermiddag. Og pakket dem ind i præstationsangst.

Endte m. sweater (Hvorfor ender det ALTID med en sweater?) fra det dér Hugo Boss. Og et vist nok dårligt, men meget lille og fladt digitalkamera. Uden blitz. Så han ikke kommer hjem m. billeder fra sin skide Smålandsrøde juleaften.

Øv. De har garanteret brændeovn. Som hele tiden er tændt. Og helt korrekt doseret. Hvorfor skal de være så gode til fucking alting i den familie?

Har aldrig selv halet de store sejre hjem i optændingsbranchen. Får altid hamret så meget brænde og zip ind gennem lugen, at man går rundt resten af ferien i underbukser i en slags febervildelse. Eller ustandselig vågner v. minus 4 grader, fordi lortet er gået ud.

Nå. Fik stor, firkantet pakke udleveret af natlægen. Vejede ikke en skid. Forsøgte at lægge den op på skab. Og blive voksen.

Gik dårligt.

Det var en dunjakke. Mokkafarvet. Helt vildt pæn. Og meget svær at pakke ind igen.

Anyway. Hér står jeg altså. Med en juleaften, der ikke er arrangeret. Og et barn, der ikke skal i vuggestue.

Starter med at hente juletræ. Det er der sådan lidt nybygger over.

Kl. 15.12

Altså. Hvorfor skal det altid være sådan? Det LYDER sgu da hyggeligt. Og traditionsagtigt. At skulle ned på torvet to dage før jul og købe juletræ m. datter på to et halvt.

Men først ville hun ikke have flyverdragt på. Og så tog hun selvfølgelig tilbuddet om at vælge liiiiige det træ, hun gerne ville have, alvorligt. Det er jo bare en talemåde, for fanden. Ikke en invitation til at pege på ét, der er højt nok til at stå på Trafalgar Square.

Så går man hjem. m. tudende unge. Og et kompromistræ der stadig er halvanden meter højere, end man havde tænkt sig. Vel vidende, at der kun er julepynt nok hjemme i kassen til at dække til lige under knæene.

Og selvfølgelig skulle hun også være med til at bære det. Havde egentlig forestillet mig, at nogen skulle have lagt *Bjældeklang* på som underlægningsmusik og drysset Bulderby-snefnug ned over os. I stedet kørte der et konstant lydspor af »Pas lige PÅ, Bjørg«, »NEJ, ikke ud på cykelstien«, »SE dig nu for, lille skat«, og »Bjørg for helvede, altså. Hør nu hvad jeg siger«.

Nå. Bumpede uskønt op ad trapperne m. træet slæbende efter os som stor, grøn, død mand. Nåede endelig hoveddøren. Som selvfølgelig klappede i. Så Bjørg fik fingrene i klemme. Og træet fik kappet tre grene af. (Ikke for noget. Men i et splitsekund var jeg faktisk mest ked af det sidste).

Håber ikke, det er denne her jul, der skal være masterbåndet for de kommende fjorten.

Tirsdag kl. 10.07
Så. Har afleveret Bjørg hos Natascha. Skal nu købe ind t. komplet juleaften på præcis to timer. Uden at miste herredømmet.

Desværre ingen opskrift på juleand i *Børnenes Kogebog*. Må improvisere.

Jeg kan lige så godt sige det med det samme: Har skrevet indkøbsseddel på 173 cm. Og hvis der er nogen, der har hamstret. Eller hvis ISO ikke lever op til SIT ansvar og har alt, hvad jeg skal bruge, så lægger jeg mig ned i køledisken og sparker og tuder, til de kommer med det.

Kl. 11.33
Heldigt for dem. Havde faktisk alt. Også andebouillon.

Er til gengæld ruineret.

Gid jeg for fanden havde ønsket mig penge i julegave.

Onsdag kl. 13.30
I aften er det juleaften, der er længe, længe til.
   Yearh, right. Passer jo ikke, vel. I hvert fald ikke hvis man
er kommet til at sidde og se en masse børne-tv. Har faktisk
travlt nu. Skal lige rydde alting op, pakke gaver ind og få
noget til at dufte juleagtigt. Og så skal Bjørg og jeg nå at
hygge os, inden min mor kommer kl. 16.

Kl. 13.31
Hvad? Hvem er nu det, altså?

Kl. 13.48
Ja, hvem tror du? Det var selvfølgelig Outlaw. To en halv
time for tidligt. Med en paralleljuleaften pakket ned i fem
stofnet fra Privatbanken og Oriflame. Inklusive and. Og
lys. Og servietter. Og kogte, pillede kartofler »som bare
lige skal brunes«.
   Tak for tilliden, du.
   Hvad fanden tror hun, jeg har lavet de seneste to døgn,
altså?
   Lossede hele lortet ud på altanen og prøvede at tage det
roligt.
   Hvorfor GØR hun det? Vi havde aftalt, at hun kun skulle
lave risalamande.
   Fik så meget lyst til at sparke hende hårdt i røven, at jeg
var nødt til at gå ud på badeværelset og skære de grimme-
ste ansigter, jeg kender.
   Og hvorfor har hun i øvrigt klædt sig ud som mus? I
selvdødt gråt fra top til tå? Hun kan få en stor, hullet ost til
aftensmad, kan hun.

Kl. 00.20
Ok. Det var det.
   Fik faktisk holdt en juleaften. Som var hyggelig.
   Formåede næsten at se igennem fingrene med, at min mor
sang alt for højt og tyndt. Og – selvfølgelig – to takter foran
alle os andre. Kommenterede faktisk heller ikke, at hun
smed forklædet, rettede på håret og sagde »velkommen«, da

Thomas trådte ind ad døren. Holdt af en eller anden grund også masken, da hun begyndte at spørge ham, om det ikke var hårdt både at have fuldtidsjob og være alene med Bjørg (%&¤#/!!!). Og at han endelig måtte sige til, hvis han fik brug for en hånd. »Jeg har jo TIDEN til det, Thomas«.

Til gengæld undlod hun at kommentere, at jeg på et tidspunkt luskede ud på altanen og hentede nogle svesker i et af Oriflame-nettene.

Nu er Thomas kørt til Husum med hende.

Han kommer tilbage om lidt og skal sove inde på Bjørgs værelse i nat. De skal flyve tidligt i morgen.

Skal det være sådan her resten af tiden? Når man er skilt? At julen er en slags avanceret samlesæt ligesom de dér Billyreoler fra Ikea? M. ny, uforståelig brugsanvisning hvert år. For til næste jul kan det hele skrues sammen på en helt anden og lige så indviklet måde. Så er det måske min mor, der tager til Sverige m. børnelægens børn. Mens Niels og Thomas tager Bjørg med til Marokko. Og jeg holder tøjbytteaften m. designereks.

Christ, altså.

Hele verden skal mentalundersøges.

Kl. 02.40
Eller måske er det okay?

Har spillet bordfodbold og drukket vin med Thomas. Og grinet ad helvede til.

Alligevel mærkeligt, når han bagefter kysser én på kinden og går ind for at lægge sig på madras i børneværelse. Og lidt akavet at støde ind i ham på badeværelset i underbukser og Nikon-T-shirt.

Tænk, hvis man ikke var skilt. Og kunne have hele sit følelsesliv i én lejlighed.

Torsdag kl. 07.01
Så. Løbe, løbe, løbe.

Ind i seng. Igen.

Har været infamt tidligt oppe. For at pakke til Bjørg, smøre madpakke og sende dem af sted.

Har hel dag, hvor jeg bare kan sove. Og masser af mad på altanen. Måske kommer der også noget i fjernsynet.

...

Dørtelefonen.

Hvad fanden har han nu glemt?

»JA!?!«.

Kl. 09.12

Hov.

Pludselig var der en læge til stede. Stod på min dørmåtte m. asymmetrisk frisure og poser under øjnene. Og spurgte, om han måtte komme ind lidt.

Blev kvalmende lykkelig. Og ville ønske, at jeg havde børstet tænder.

Skal retur igen i aften. Men har brugt hele natten på at køre gennem det dér Sverige for at være sammen med mig i nogle timer.

Som om han var vild med mig.

Eller noget.

NYTÅR

Så tager verden
sig sammen

Onsdag kl. 07.14

Hm.

2003 lukker om lidt.

Uden at nogen har givet lyd fra sig.

Æv.

Må nok indse, at der ikke kommer noget tv-hold forbi og interviewer mig om mit år.

Og hvis de havde sammenklippet festkavalkade m. mine 2003-højdepunkter, var jeg vel blevet orienteret.

...

Hvem skulle egentlig være vært, hvis det var?

Steffen Kretz?

Hardly. Har nok ikke lyst til at sætte troværdighed til på dét projekt.

Morten Løkkegaard?

Nej. Så bliver hans livs Connie bare skidesur.

Henrik jeg-har-strithår-på-den-joviale-måde Dahl?

Niks. Så sidder der bare en masse studiejyder og klapper. (Stikker i øvrigt også hovedet så langt op i kameraet, at hans briller kommer til at ligne lupper).

Hvem har vi så?

Frode Munksgaard?

Kunne selvfølgelig komme brasende m. et øst- og et vest-hold og besigtige mig. På Saddam-måden. M. efterfølgende tilstandsrapport. (Relativt velholdt, ingen K3-skader, dog enkelte fugtproblemer på øverste etage og aldersbetingede revner i ydermur).

TvDanmark kunne også bare have monteret et Big Brother-kamera i lejligheden v. årets begyndelse. (Har vel vurderet, at det ville være spild af råbånd. Eller at embedslægen ville skride ind og plombere lejligheden efter tre afsnit).

Vil egentlig helst have Ulla T. Så kunne vi sidde dér og være gamle sammen. M. stort hår og eyeliner.

Måske meget godt at der ikke kommer nogen. Er så træt, at jeg ligner Zlatko Buric. Bjørg stod op kl. 06.21. Det halter virkelig m. børns timing.

Nå. Må bare tænde en buket stjernekastere og se at komme i gang.

Selv.

Årsopgørelse v. årsskiftet 2003/2004

Alder: 39

Kærester: 1

Skilsmisser: 1

Filmroller: 0

Hårde hvidevarer: Et af de få punkter, hvor jeg faktisk ligger over landsgennemsnittet. Er praktisk talt dansk mester i AEG.

Året målt i cigaretter: 7.354
(20 x 365. Plus 54 festcigaretter).

Kunne ikke have gjort det uden:
1. Pama Minutris.
2. Andres modgang.
3. *Børnenes kogebog.*
4. Overtræk.
5. Snorkel.
6. Indre blødninger.
7. Delete-tast.
8. Earl Grey.
9. Fejlkøb.

Skal i 2004:
1. Lære børnelæge at ryge.

2. Nedsætte Ikea-forbrug. (Er der for helvede ikke nogen, der kan opfinde et Ikeaplaster eller -tyggegummi?).
3. Trykke 'stop' i god tid.

Vil genindføre retten t. at vinde alle diskussioner m. et af følgende udtryk:
1. »Selvhenter!«.
2. »Det bliver sagt!«.
3. »Det, man siger, er man selv!«.
4. »Tudefjæs!«.

Fyringsrunde blandt:
1. Kvinder m. elefanthuer.
2. Mænd, der løber meget hurtigt baglæns på skøjter.

Nægter:
1. At gå i lårkort firserakryl og gamacher.
2. At få egen vin- eller husdyrklumme i dagblad.

Purenægter:
1. At se min mor i g-streng.

Godt man i det mindste ikke:
1. Fik tatoveret eyeliner for 20 år siden, så man stadig går rundt med onde 80'er-øjne.
2. Er et af de små køretøjer på Storebæltsbroen.
3. Har pastasalat med på arbejde i tupperwarebeholder.

Folk, der er cool:
1. Paven.
   (Slipper af sted med at holde det ene afskedsshow efter det andet. Har snart sagt farvel flere gange end Frank Sinatra).
2. Marianne Jelved.
   (... for det er hun bare).

Rødt kort til:
1. Mænd, der køber frugt i kantinen.

2. Mænd m. Marilyn Monroe-skønhedsplet.
3. Vejrværter på alle kanaler (Taler ligesom dem i børneti-
men. Kunne kraftedeme snart lige så godt køre Kylling
ind og præsentere 5-døgns-prognosen).
4. Mødre, der er pæne i hente-bringe-situationer.

Er du klar over:
1. Hvor fast havregryn kan sidde på en tallerken efter et
par dage.
2. At jeg har holdt min jul nr. 40.

Bliver nødt til at få:
1. Tilhold over for egen sofa.
2. Renset afløb (også internt).

Antal måneder ægteskaber bør holde:
Variabelt. Men dog ligefrem proportionalt m. antallet af
kuverter til bryllupsfesten.

Vil have landsdækkende forbud mod at sige:
1. »Handle ind«.
2. »Så er den ged barberet«.
3. »Godt brølt, løve«.
4. »Gir' du et bap?«.

Grimme ord i øvrigt:
1. Skolastisk.
2. Frivol.
3. Surreelt.
4. Tjald.
5. Buste (når bruges om bryster).
6. Brisler.
7. Klunker (lyder som sådan nogle lange, løse nogle).
8. Buksti.

Gode ord:
1. Nænsom.
2. Det eustakiske rør.

Må aldrig mere:
1. Shoppe lauritz.com. (Er kommet til at overbyde ALLE på blå cobratelefon. Skal afhentes i Malmø inden tre dage. Kan jeg låne en bil?).
2. Lægge noget i neurotisk rækkefølge.

Har faktisk klaret at:
1. Tage øjenmakeup af inden sengetid 3-4 gange i 2003.

Fuld stop mod:
1. Udgivelse af bøger af Johannes Møllehave. (Evt. vha. medicinering. Findes jo også piller mod andre former for diarré).
2. Grå rottehaler.

Lover, at jeg ALDRIG vil rette følgende talefejl hos Bjørg:
1. Logisk Have.
2. Judde (yoghurt).
3. Ka-jule-lender.
4. Hattemåger.
5. Hudningskraber.

Lover til gengæld at slå HÅRDT ned, næste gang Husum siger:
1. »Sjiili« i stedet for »chili«.
2. »Buckingham Palace« med u.
3. »Merri« i stedet for »Mary«.

Folk, der burde sætte sig selv på hold et øjeblik:
1. Niels Frid.
2. Fætter BR.
3. Naser Khader.

Grimme accessories:
1. Louis Vuitton-tasker t. kvinder.
2. Tynde ben t. mænd.

Vil fremover være:
1. Hugh Grant.
2. Ingrid fra *Rejseholdet* (minus Michael Falch).
3. Wulffmorgenthaler (tjener i det mindste penge på at være syge i hovedet).

Vil også gerne være:
1. Langt nok ude t. at blive svinet til i bog af Rifbjerg. Eller interviewet af ham dér Nils Thorsen.
2. Bedre til alt.

Så tager verden sig sammen og holder op med at:
1. Sige »hey«.

Vil selv forsøge at:
1. Have færre udladninger pr. kubikmeter.

Folk, der burde rulles stramt ind i et gulvtæppe:
1. Bjørn Lomborg (evt. sammen m. Niels Hausgaard).

Må faktisk gerne blive fri for:
1. At sætte mig ind i det dér *Ringenes Herre*.

Burde indstilles til mellemste invalidepension:
1. Københavns metro.

Må faktisk gerne:
1. Lyve over for butikspersonale. (»Jeg tænker lige over det, så kommer jeg igen« eller »Jeg har kun vasket den på uldprogram«).

Vil have:
1. Hund. (Så så man lige mig m. nogen i snor. Hvor mange måneders barselsorlov udløser det i øvrigt?).

Holder med:
1. Kronprins F.
2. Jes Dorph.

Holder faktisk også med:
1. Mænd, der prøver at have skilning, selv om de ikke har noget hår.

Strengt forbudt at være:
1. Stjerne for en aften.

Har overvejet:
At blive opereret for tvivl.

Får brug for:
3x34

Er nemlig kommet til at sige ja til:
At flytte ind i rækkerne.
...
Ikke for noget.
Men ...
Ladies and gentlemen: I've got him!
...
...
Det er vel okay?

JANUAR
2004

Livet er en ophobning
af detaljer

Modellervoks i bihulerne

Fredag kl. 12.23
Puh. Er lige vågnet. M. 39,3 i feber og højre kind klistret fast t. side 42 i Alt for Damerne.

Har tilsyneladende fået det dér influenza. Måtte ringe ind og melde mig syg i morges. Meget utroværdig melding 2. januar. Troede næsten selv, at jeg løj. Som om gulvet stadig flød m. serpentiner. Og man bare ikke orkede at rejse sig efter nytårsaften.

Har ondt i øjnene. Og modellervoks i bihulerne. Føles som om, jeg er på dårligt LSD-trip, når jeg prøver at gå i lodret.

Thomas hentede Bjørg i morges. Havde ikke temperatur t. at være nogens mor. Og Niels skaffede halvandet kilo ugeblade og magasiner i kiosken. Inden han tog ind og var nogen andres læge. (Helt okay. Har heller ikke temperatur til at være nogens kæreste. Svært at være dazzling, når man koldsveder og har posedamefrisure).

Skal lige pudse hjernen ud, inden jeg går i vandret m. Fisherman's Friend. Og prins Richard, som ifølge Billed Bladet heller ikke orker mere.

Kl. 13.51
Må være faldet i søvn igen. Vågnede i hvert fald v. at telefonen ringede. Væltede ind i stuen m. fødder som kampesten og resterne af en bizar drøm som et skydække om hovedet.

Det var Anna. Der ville spørge, hvornår jeg egentlig skulle flytte.

Flytte?

Jeg skal fandeme ikke flytte. Højst på hospice. Hvis jeg en dag bliver rask nok.

Valgte dog at være tapper og gå med på fantasien om, at jeg en dag bliver i stand til at gå på arbejde, betale regninger og lægge planer igen. Sagde, at det nok bliver til marts eller april.

»Nå ... Ok«, lød det – noget skuffet – i den anden ende.

Har åbenbart fået solgt huset. Hende og forhenværende henrivende Dave. På den betingelse, at de kan være ude midt i januar. Og Anna har ikke noget nyt sted at bo. Så hun ville høre, om hun måske kunne fremleje min lejlighed.

Fremleje den?

Det er jo mit hjem. Skal godt nok flytte. På et tidspunkt. Og i princippet. Men kan ikke rigtig forholde mig til, at det er noget, der skal ske i virkeligheden. Som i snart.

Nå. Kom til at sige, at hun selvfølgelig bare kunne bo her. Sammen med mig og Bjørg. Indtil videre.

Og fortrød. M. det samme.

Vil gerne være en god veninde. Men har jo ikke ligefrem otteværelses, hvor man ikke rigtig kan mærke, om man er to eller fem. Og heller ikke mentale kvadratmeter nok til at have nogen i nærheden på den måde.

...

For fanden.

Hvorfor slår folk altid til, når man tilbyder noget, man ikke mener?

Har nu ikke alene feber. Men også logerende fra om 12 dage.

Puhh. Er svimmel og har overtryk i kraniet.

Må ærgre mig videre over det senere.

Stik mig to Pinex. Og Se & Hør.

Kl. 14.21

Ikke for noget. Men hold kæft hvor ser den svenske konge mærkelig ud. Ligner noget, der lever i havet.

Kl. 14.25

Åhh, nej. Hvor skal hun sove henne? Og hvordan skal jeg undgå at blive irriteret på hende om morgenen?

Nå. Væk med virkeligheden. Og frem med Eurowoman.

Kl. 14.27

Av. Den sad.

Gik intetanende ind i historie om Tove Ditlevsens liv for at slappe lidt af m. andre menneskers tragedie. Og fik lammer lige i nyrerne.

»Moderen var udadvendt og rapkæftet, men også selv-hævdende og humørsyg (hvem er det nu lige, det minder om?) hvilket alt sammen nærede lille Toves spirende frygt for ikke at blive elsket. (Åhh nej, altså). Denne usikkerhed forplantede sig dybt i Tove Ditlevsen og var givet medvir-kende til at hun senere i livet blev narkoman og desuden giftede sig hele fire gange på kun 11 år«.

Ikke godt. Meget dårligt faktisk. Har tilsyneladende to-årig datter, der er i overhængende fare for at ende sit liv i Gribskov, hvis jeg ikke tager mig sammen og får ny per-sonlighed. Pronto.

Kl. 14.28
Er på den anden side også ok mor.
Tit.

Kl. 14.41
»... men de flotteste vipper får du stadig med Effet Faux Cils fra YSL«, står der så pludselig i Eurowoman.

Hvad? »Stadig?«. Hvornår har de aftalt det? Og hvorfor er der ingen, der har fortalt mig det? Har faktisk lige spen-deret 180 kroner på mascara fra Lancôme.

Og hvad betyder det dér vintage? Der er vintage kjoler, vintage tasker og vintage alt muligt på hver anden side. Er det ikke bare second hand? Og kan de så ikke bare sige det? Eller bliver det først rigtig blæret, når der er nogen, der føler sig udenfor?

Kl. 14.44
Orrhhh. Sikke en masse ligegyldigt lort de skriver alle vegne.

Gider ikke bruge batteri på det. Er faktisk også nødt til at lave appendix til nytårsliste.

Skal være under bødestraf forbudt at sige:
1. »Det er bare so last year«.
2. »Sågu«.
3. »Jeg føler mig lidt groggy«.
4. »Nederen« (Når man er over 40 år).

Sabbatår til:
1. Mænd over 40 år m. sugemærker.
2. Jennifer Lopez' røv. (Hvad er der med den? Er den ikke bare stor?).
3. Mænd, der går ned i knæ, når de danser. På zigzagmåden.

Sabbatuge til:
1. Side 9-pigen (DET er bare so last year. Og så for skide 800 kroner. Før skat).

Skal også have lavet motto for 2004.
Har foreløbig to bud:
1. Livet er en ophobning af detaljer.
2. Her tror jeg godt, jeg vil bruge en livline.

Kl. 14.48
Så. Piller virker. Kors, hvor jeg sveder.

Kl. 14.51
Skal jeg virkelig flytte?
   Hen et fremmed sted?
   Blev rigtig, rigtig glad, da Niels spurgte. Og vil også gerne forfremmes t. rækkerne.
   Men det er jo her, jeg bor.
   Skal Bjørg og jeg så aldrig være alene sammen mere?
   Hvad hvis vi flytter ind, og det ikke går? Skal hun så flytte én gang til?
   Og hvor skal mine ting være?

Kl. 14.52
Så stopper jeg.
   Det er jo også godt at bo i familie. M. andre mennesker.
   Og der er gårdhave. Og bump på vejen.
   Og Niels er skide sød ved hende.
   Og ved mig.
   Og jeg er vild med HAM.

Kl. 14.54
Og ved du hvad? Bliver også pludselig del af købedygtig enhed. M. to indtægter. Så man kan veksle sine drømme t. beslutninger. Og købe alt muligt. Sommerhus for eksempel. Eller aktier. Og folk til at gøre det, man ikke selv gider.

Kl. 14.57
Og man kan få en hund. Fordi man er flere til at lufte den.

Kl. 14.59
Og Niels er som sagt skide sød ved hende.

Kl. 15.03
Men skal det allerede være til marts?
   Og skal Anna så bo her indtil da?
   ...
   Kan ikke se alt det her for mig på én gang. Har brug for overhead. Og tuscher i flere farver.
   Er faktisk og som sagt også SYG. Hvis nogen ellers gad respektere det.
   Tager lige tillægslur. På 16-17 timer.
   Nægter at vågne op igen, før det er blevet på lørdag.
   Og alting har løst sig selv.

Thanks, mum

Søndag kl. 16.37
Sådan her skal søndage være, når man alligevel ikke kan være sammen m. sine børn. Har sovet længe. M. børnelæge.

Har lavet æg og bacon, der faktisk smagte godt. Og har ikke været uden for en dør.

Har læst aviser, haft sex og været rask nok t. at ryge. Og set World Cup slalom fra Flachau på Zulu, snakket, drukket en masse kaffe og småslumret i sofa ind imellem.

Børnelæge prøvede et par gange at foreslå noget m. naturen og noget gåtur udendørs, men fik heldigvis afværget det. Har jo også lige været syg.

Og nu er han faktisk selv gået i brædderne. Efter at have ageret hovedpude hele dagen. Ligger m. fødderne ud over det ene armlæn på sofa og sover. Og er rigtig pæn imens.

Så så man lige mig være nogens kæreste.

Kl. 23.01
Undskyld. Men har hele verden ikke lidt travlt med at speede tingene op henne i mit liv?

Fortalte Niels, at jeg var kommet til at love Anna, at hun kunne flytte ind hos os i midten af januar. For at give ham lejlighed t. at sige, at det nok skal gå. Havde glemt at man ikke kan brokke sig t. mænd, uden at de straks åbner værktøjskassen og begynder at skrue på alt muligt i ens tilværelse for at løse det.

»Hvorfor flytter du og Bjørg ikke bare over til mig nu? Det vil da bare være fint«.

Det vil da bare være fint?

Det vil da bare være absurd. Det er, hvad det vil være. Har overhovedet ikke nævnt det for Bjørg endnu. Og hun skal jo lige have lidt tid til at indstille sig på det.

Men det kunne børnelægen ikke se.

»Nynne, helt ærligt. Hun er to et halvt år. Hun er glad, bare du er der. Og jeg har nogle fridage, så jeg kan sagtens nå at rydde mit kontor, som vi har snakket om, og så male det, så hun kan få et værelse, der er hendes«.

(Ja, og vi kan også bare skyde hende derover med en raket, ikke? Jeg kan sgu da hente hende ovre hos Thomas nu, hvis du ikke kan vente).

Forsøgte at forklare, at jeg synes der lige skal gå lidt tid.

Så røg World Cup-stemningen. Kunne godt mærke, at han tolkede det som om, jeg var i tvivl om hele projektet.

Og det er jeg jo ikke.

...

Vel?

Nå. Men så ringede de pludselig fra Rigshospitalet. Og havde brug for ham. På den indiskutable måde. Og så var han nødt til at køre. Og hele sagen blev sparket til hjørne.

Så så man lige mig. Sidde tilbage og føle mig som dårlig veninde og halvdårlig kæreste.

Altså. Vi har jo lige aftalt det for et øjeblik siden. Og det er jo ikke det samme som bare at gøre det, vel? Og jeg er også nødt til at lyde som om det hele er meget velovervejet, når jeg skal sige det nede i vuggestuen.

Men ville selvfølgelig løse det i forhold t. Anna.

Og måske er det heller ikke så slemt for Bjørg.

Men har jo heller ikke sagt det til Thomas endnu. Og han skal ikke have indtryk af, at det hele er skide overilet, og at jeg overhovedet ikke har tænkt mig om.

Så var det, jeg ringede til min mor. Havde åbenbart også glemt, at man heller ikke kan brokke sig til hende. For hun holder bare med den til enhver tid siddende mand i mit liv.

»Jamen, det kan jeg da godt forstå, han bliver lidt skuffet over. Nu skal du også passe på, at du ikke støder ham fra dig«.

(Thanks, mum).

Og så kørte resten af pladen helt af sig selv:

»Jeg har også tænkt på, at når du flytter ind, så er du altså nødt til at oppe dig lidt. Jeg tror ikke, at han finder sig i, at du roder sådan. Det kan jeg godt sige dig. Det kan han slet ikke holde ud«.

(Nej, det har du sikkert ret i, din gamle kost. Det er sikkert meget bedre, hvis du flytter ind. Det kan han sikkert meget bedre holde ud).

»Du skal tænke på, at han er en voksen mand, Nynne«.

»... og læææge«, hviskede hun.

Århhh. Gik lige i fælden. Og flippede ud på teenagemåden. Hvilket ikke ligefrem modsagde hendes åndssvage påstande. Men føltes godt. At råbe lidt. Ad nogen.

Fik rodet mig ud af samtalen på den kølige måde. Og forsøgte én af mine andre livliner. Men Natascha var også helt, helt uforstående.

»I flytter da bare ind. Hvad er problemet? Om det er nu eller om en måned – det er da rystende ligegyldigt. Du er jo vild med ham«.

Nå.

Nå!

Så må I sgu meget undskylde. At man for en gangs skyld forsøger at tænke sig lidt om. Det skal ikke ske igen.

Par-fuldstændigt-don.

Mandag

Hvad?

Har alle bare rottet sig sammen?

Ringede til ejendomskontoret. Som oplyste, at jeg uden problemer kan fremleje min lejlighed i to år. Fra næste første.

...

Sig mig engang, er der ingen, der har tænkt sig at stikke en kæp i hjulet for det her?

Har det som om, at der er nogen, der har spændt et par brædder under fødderne på mig. Og skubbet mig ned ad skihopbakke. Helt ligeglade med, at jeg ikke aner, hvordan man lander.

Nå. Kan simpelt hen ikke beslutte det her nu. Trykker sgu bare på freeze-knappen. Og passer mine ting. Og mit arbejde.

Skal også have købt en kalender. Og nogle moonboots.

Tirsdag
Hm. Kunne måske også melde mig t. noget argentinsk tango.
Bør i hvert fald få hobby. Er lidt kikset ikke at gå lidenskabeligt op i et eller andet. Ud over at tælle andre menneskers skilsmisser.

Onsdag
Ikke for noget. Men hvad blev der egentlig af de dér røde kugler i snor, som man brugte hele sine barndom på at klaske mod hinanden på klong-klong-måden? (For helvede, hvor gjorde det ondt, når én af dem ramte håndleddet).

Torsdag kl. 18.29
Nå. Måske er det fint. Det kan jo også gå godt.
Kan simpelt hen ikke være dårligt at vokse op i rækkerne.
Hverken for Bjørg. Eller mig.
På den anden side må børnelægen også bare leve med at vi flytter i tempo, der passer os.

Kl. 21.46
Så.
Ringede til Niels og prøvede at lande det hele på Kofi Annan-måden. Som i at han begynder at male Bjørgs værelse. Og at vi flytter, når vi kan. Hvilket formentlig er før marts. Men ikke i overmorgen.
Time out.
På den lidt stressede måde.
Men trods alt time out.

Arrrriiiibbbbaaaa

Mandag kl. 00.41

Hvor fanden er min mobiltelefon?

Hva'?

Hvor er den henne?

Har ransaget hele bulen fra top til tå og ringet den op flere gange. Den ER her ikke. Må have glemt den inde på arbejdet.

Fuck. På flere måder. Er for eksempel mit eneste vække-ur.

Kan selvfølgelig bare bestille telefonvækning.

Hvad er det nu nummeret er?

En gang var alting bare 00 et eller andet. Men nu er det alt sammen sådan noget 80 80 80-agtigt noget.

...

Hov. Har for resten splinternyt komfur m. minutur. Stiller det da bare til at ringe om seks timer og 19 minutter.

Kl. 00.42

Så. Jeg er sgu ikke så dum.

God-så-nat.

Kl. 07.00

Hvad fanden sker der? Brand! BRAAAAND! Ude i køkke-net.

Eller hvad?

Kl. 07.17

Helt ærligt. Nøgenløb ud i køkkenet m. brysterne kørende i alle retninger for at slukke forbandet komfurur. Ikke sær-lig nemt. Er tilsyneladende kommet til – helt natteblind og sagesløs – at trykke på de forkerte knapper. I fatal kombina-tion. Fik stoppet uret. Men fik til gengæld også aktiveret irriterende bonusfunktion som nogen har døbt 'automatisk tilberedning'. Havde i sytten minutter fire glade kogepla-der til at tænde og slukke m. nogle sekunders intervaller.

Sked rundt på koldt flisegulv i bare tæer og forsøgte at skrue ned for alt muligt for at stoppe absurd keramisk køkken lysshow. Og prøvede m. resten af ekstremiteterne at finde manualen t. åndet Smegkomfur. Fandt den langt om længe oppe mellem kogebøgerne og fik demonteret ALLE funktioner.

Så nu kan Bjørg ikke få noget havregrød. Og nægter derfor at komme ud fra sit værelse.

Ikke den blødeste start på ellers forholdsvis diskret tirsdag morgen.

Torsdag
Ok. Anna flyttede ind i går.

Havde faktisk hyggelig aften. Var rigtig sød ved Bjørg. Så børnetime med hende og læste hel stabel *Ludvig*-bøger højt.

Drak rødvin, da Bjørg var gået i seng, så *Italiensk for begyndere* på video (altid en fornøjelse at se Peter Gantzler m. tørre læber og dødt hår) og snakkede en masse om Annas skilsmisse.

Gik sent i seng. Anna er rykket ind i Bjørgs værelse. Og Bjørg er rykket ind i min seng.

Bonus v. at optræde som skilsmissepensionat: Kan ligge og snuse barn i håret hele natten, lægge dynen over hende 100 gange og kysse hende uden at hun protesterer.

Antibonus: Lidt irriterende at være mange mennesker om morgenen. Faktisk ret privat tid på døgnet. Og vanskeligt at dele sin stemme i to fra morgenstunden. Én der m. en masse veninde- og værtinde-overskud siger: »Vil du ha' et håndklæde til dit hår, søde?«. Og én der med vi-skal-faktisk-ud-af-døren-om-40-minutter underskud kommanderer:

»Kom SÅ og få den våde ble af«.

Fredag
It's growing.

Jeg er ked af at sige det, men har åbenbart ikke engang psyke t. at have nogen boende i 48 timer. Ville sikkert være ok, hvis man kunne se hen til slutningen og kendte afrejse-datoen. Men udsigten til, at det kan vare halvanden måned – eller måske endnu længere – er næsten ubærlig. Må se i øjnene, at jeg ikke har det store grevinde Danner-gen.

Skal heldigvis ud i aften. Eller ... ud og ud. Niels, Bjørg og jeg skal til Caribbean Night i forstæderne.

Merete og Handyman har været på kobberbryllupsrejse til Den Dominikanske Republik. Det vil sige: Har været frivilligt spærret inde på resort i 14 dage, uden at se så meget som to centimeter af republikken. Og de dominika-nere, de har mødt, har enten haft butterfly eller forklæde på. Måtte til gengæld »æde og drikke« alt det, de kunne i to uger uden at betale for det, bare de viste deres resort-arm-bånd. (Yearh right, helt uden at betale for det, ikke. Lige-som maden i flyet).

Lørdag
Kors, altså. Hvorfor skal det være så pinligt at være et hvidt menneske?

Blev modtaget i forstæderne af et to-stemmigt »hôla«. Uden stumt h.

I entrédør stod skideskoldet Merete m. caribiske fletnin-ger og svingende perler over hele hovedet. (Undskyld, men hun har simpelt hen ikke hår nok til det. Hendes ho-vedbund lignede hudfarvet kort over New York). Og så ellers i masser af slå-om batik og så mange myggestik, at hun aspirerede til DM i skoldkopper.

Handyman tog imod m. knolden skruet ned i alt for stramt købebandana m. indbyggede snipper og en ildrød kortærmet skjorte m. papegøjemotiv.

Og så blev der ellers smidt Los Vocalos på cd-afspilleren og serveret drinks i kokosnødder. (Én til hver, for mango er »skidedyrt herhjemme. Dernede hiver de dem jo bare ned fra træerne«, som Handyman så poetisk formulerede det).

»ARRRRRRRIIIIBAAAAA«, råbte værtsparret m. alt for mange danske r'er. For nu skulle vi alle sammen ud på gulvet mellem sofaen og spisebordet og lære at danse Me-rengue.

Fik fuldstændigt samme ubehag, som dengang i 80'erne, hvor kvinder, der arbejdede m. adfærdsvanskelige børn, forurenede hovedstaden med deres bekvemmeligheds-samba til pinsekarnevalet. Iført hennafarvet hår, bjælder om anklerne og oceaner af velvilje.

Niels tog det pænt. Og vi havde heldigvis Bjørg som undskyldning for at gå forholdsvis tidligt.

Hvor har jeg egentlig fået mine venner fra?

Og hvorfor har de udviklet sig så bizart alle sammen?

Har omgangskreds som opsamlings-lp. Med ujævne hits fra 1975 til 1999.

...

Har de det lige sådan m. mig?

Elsker ham 10-0

Mandag kl. 21.25

Hm.

Han er godt nok helt vildt sød. Niels. Ringede i går formiddag. Og inviterede mig og Bjørg t. housewarming i sit tidligere kontor. Har malet det i den fineste lyserøde farve og fået lavet et porcelænsskilt t. døren, hvor der står 'Bjørg'. Og så har han fået sin mor til at sy et hold sindssygt pæne gardiner m. små broderede blomster. Næsten ligesom da Lisa fik sit eget værelse i *Bulderby*-bøgerne. (M. mig som Lisa).

Og så stak han mig ellers sit Mastercard og sine bilnøgler. Og sagde, at han syntes, at Bjørg og jeg skulle køre i Ikea og købe nogle fine ting t. værelset.

Elskede ham 10-0 for projektet.

Og røg derud efter arbejde i dag. (Faktisk to måneder siden, jeg har været der sidst. Forventede næsten at dem i kassen ville flyve op fra stolene, ryste mig kærligt i skuldrene og spørge, om jeg havde været syg eller bortrejst).

Købte alt. Og kørte hele lasten i rækkerne. Hvor det nu står i meterhøje, plastikindpakkede bunker.

Har sådan lyst til at tage derover og gå og indrette. Skrue sengen sammen og sætte puderne pænt. Hænge en Pjerrotplakat op på væggen og snurre lyskæder rundt om alting.

Er i stedet kommet ind af døren til eget hjem, der pludselig føles midlertidigt. Hvor man ikke kan komme til at vaske, når det passer én, fordi en andens tøj drejer rundt inde bag ruden. Og hvor man skal spørge, om det er ok , at man skruer lidt ned for musikken, mens man putter sit barn.

Kl. 21.28

Måske skulle jeg bare flytte...

Kl. 21.29

Som i nu.

Kl. 21.30
...

Kl. 21.31
Måske skulle jeg bare flytte!

Kl. 21.32
Jeg flytter sgu.
Er det helt åndssvagt?
Nej. Spørger Nick i morgen, om det er ok, at jeg tager de fridage, jeg har til gode, i denne her uge.
Og så rykker vi.
Bliver fandeme også dejligt at komme derover.
Der er som sagt gårdhave. Og naboer m. uddannelse.
Ringer lige til Niels og spørger om det er ok, at der kommer noget flyttebil i weekenden.

Kl. 22.12
Så.
Man gjorde en børnelæge glad.
...
Og jeg har ikke fortrudt.
Endnu.

Fredag
Har haft meget effektiv uge.
Har sat halvdelen af mit liv t. storskrald. Og pakket resten ned i flyttekasser og poser fra Brugsen. (Flest poser).
Hold kæft, hvor her trænger til at blive malet. Og gjort rent.
(Hæ. Heldigvis ikke mit problem).
Har også sagt det til Bjørg og vuggestuen og Thomas. Har vist fået bildt hele banden ind, at det er velovervejet og har været planlagt længe. Og ingen har råbt »Objection your honour«.
Måske ER det okay.
Nu er Bjørg i hvert fald ude hos Thomas. Og flyttebilen kommer i morgen. Sammen m. Anders, Natascha, børnelægen og hans ven Johan, som skal slæbe alle kasserne.

Husum stritter rundt ude i køkkenet og pakker alting ind i avispapir. Ligner gammel gråspurv i noget ubestemmeligt brunt, hun kalder »et fritidssæt«. Og bliver ved med at repetere, at jeg »heller aldrig har udnyttet al den dejlige skabsplads ordentligt«.

Meget regulært tidspunkt at tage det op. Igen. Så vi er sikre på at få ærgret os nok over det, inden jeg flytter.

Mærkeligt at skulle væk fra det her kvarter. Har boet her hele mit voksne liv. So to speak.

Kl. 03.23
Så. Nu bliver det altså ikke bedre. Har gået i timevis og afgjort fremtiden for forlængerledninger og gamle walkmen. Opslagstavler, jeg aldrig har fået hængt op og trøjer, jeg aldrig har fået strikket. Må simpelt hen se at få sovet lidt nu. I seng, der fra i morgen er Annas.

Hold kæft, hvor har jeg mange ting. Ligner alt sammen noget, jeg har købt, da jeg var 18 år.

Gid, jeg kan nå at få lortet inden døre, inden folk står op i rækkerne.

Eleveret hovedgærde

Søndag

Kan lige så godt sige det, som det er: Bor nu i byggeforeningshus. I tre etager. M. køkkenalrum i stueetagen.

Flyttede hele dagen i går. Nåede godt nok ikke inden døre m. alt mit grej, inden humanisterne begyndte at vise sig i gadebilledet. Blandt andet fordi, det meste som sagt var pakket i plastikposer med – viste det sig – temmelig dårlige hanke.

Havde så til gengæld glemt at blande litteratur m. tøj. Og bare fyldt bøger i en stribe flyttekasser, der vejede cirka det samme som Kuwait. According to Anders. Der selvfølgelig kom to timer for sent m. asymmetrisk hår og tømmermænd. Men dog bar dem ned sammen m. Johan. Og derefter begyndte at drikke øl og flirte m. Anna.

Natascha kom selvfølgelig til tiden. I skidedyre jeans og DKNY kondisko. Og overtog hele arrangementet sammen m. Niels. Føltes ret hurtigt som om, Anders og jeg bare var sådan nogle børn, der gik lidt i vejen.

Viste sig i øvrigt, at Natascha og Johan kendte hinanden i forvejen. Har åbenbart læst jura sammen i sin tid.

Nå. Fik på 45 minutter spoleret helhedsbillede af arkitekttegnet hjem, da vi polstrede hele underetagen m. papkasser og løst gear. Børnelægen tog det pænt. Skred over efter pizzaer og øl og bar – stort set – over med, at Anders drak to tredjedele af dem, skvattede over en flyttekasse og udnævnte det til en fest m. sig selv som hovednummeret.

Var til gengæld ikke særlig overbevisende i sin taknemmelighed, da han tog imod Anders' indflytningsgave: Et vejskilt han engang har scoret m. teksten 'Herfølge 5 km'. Hans yndlings, faktisk.

Så sad vi ellers der. I relativ holdstemning et par timer. Inden Natascha og Johan gik hjem, og Anders inviterede Anna på BoBi Bar.

Må huske at spørge, om de har et eller andet kørende.

Tilbage var hr. og fru børnelægen. Som ikke rigtig vidste, hvad de skulle stille op. Og derfor havde fuldbyrdet sex hen over tre kasser i samtalekøkkenet.

Var nærmest skideglad.

Indtil børnelægen tog mig med op ad trapperne. Og åbnede døren til soveværelset. Og præsenterede »vores nye seng«.

Det var en Hästens.

M. elevationsmadrasser.

...

Øv, altså.

Røg 13 mentale etager ned på tre sekunder.

Gider for det første ikke ligge der og suse op og ned m. tommelfingeren på fjernbetjeningen. Som om man havde stenhårde, mørkegule storetånegle og hofteproblemer.

Er kun 39 år, for fanden.

Og for det andet – og allermest – ville jeg bare godt have været med til at indrette VORES soveværelse.

Kunne simpelt hen ikke lige aflevere den begejstring, han tydeligvis stod og ventede på. Fik i stedet nærmest tårer i øjnene. Af skuffelse og raseri.

Havde slet ikke lyst til at lægge mig i den. Havde bare lyst til at gå ned og smide mig i én af mine flyttekasser.

Tog mig i stedet sammen. Og forsøgte at forklare ham, at jeg for fremtiden synes, at vi skal gøre sådan noget sammen.

Fordi det er vores.

Fordi det er hyggeligt.

Og fordi det er rimeligt.

For helvede.

Børnelægen prøvede at forstå det. Og tilbød at returnere den. Hvilket vi begge to godt vidste, ikke kunne lade sig gøre. Havde allerede pillet plastikken af madrasserne, lagt sengetøj på og sovet to gange i sin side.

Så første nat i rækkerne blev m. et »undskyld, skat«.

Og eleveret hovedgærde.

FEBRUAR

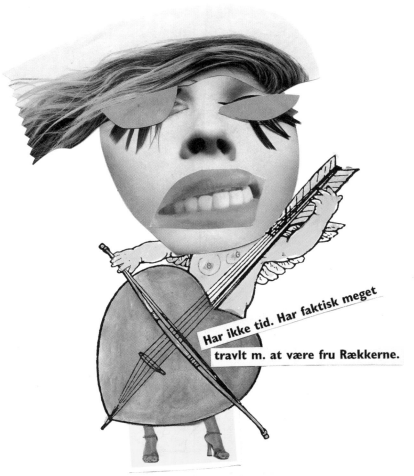

Har ikke tid. Har faktisk meget travlt m. at være fru Rækkerne.

If I can make it there, I'll make it anyyyywhere...

MARTS

Jeg er her stadig.

Hvis nogen skulle være
blevet bekymrede.

Arj, har du røget?

Torsdag

Brrrr.

Bliver fandeme snart nødt til at gøre alvor af det m. de moonboots.

Står her i buldermørke og minus to grader i gårdhave. Sikkert meget charmerende sted om sommeren. Men ikke særlig lækkert rygerum. Foreslog faktisk selv Niels, at jeg skulle nøjes med at ryge herude, da jeg flyttede ind. For at vise storsind, of course.

Og allermest for at give ham lejlighed til at afslå. Og sige: »Selvfølgelig skal du ikke stå derude, min elskede«.

Det gjorde han så ikke. Han slog bare til. »Også af hensyn til børnene«.

...

Så nu står jeg her.

Gennemkold og helt ude af stand t. at nyde egen last. Gælder bare om at få suget nikotinen i sig i en helvedes fart.

Og komme ind igen.

HAR forsøgt at ryge igennem inde på arbejdet. Men slipper alligevel ikke for at gå i gården 3-4 gange i løbet af en aften.

Burde fandeme kræve varme i gulvet herude.

Nå. Han kan i hvert fald få lov at betale et par moonboots, kan han. Og de skal være sandfarvede.

Status over første måned som fru børnelæge i rækkerne

Fordele:

1. Har fået street credibility. I form af ny, absolut gangbar adresse. (ELSKER når nogen spørger, hvor jeg bor. Og det ikke engang er løgn, når jeg svarer: »Jens Juels Gade ... i Kartoffelrækkerne«).
2. Har nu liv fordelt over tre etager. Plus kælder. Og uudnyttet loftsetage.

3. Skal ALDRIG mere ringe til vagtlægen. Eller sidde i kø på Falckstationen i Nordvest-kvarteret, når Bjørg har mellemørebetændelse.
4. Kan også selv få alle de piller, jeg vil. Og lægeerklæringer. (Også i kategorien: »Jeg elsker dig« og »Vi to skal være sammen altid«).
5. Bjørg har det godt. Som i rigtig godt. Også m. de to store. Og har direkte access til Øster Farimagsgade Skole om nogle år. (Baghjul t. alle ressourcestærke familier m. børn skrevet op til privatskole i tide).
6. Har pludselig tid t. at være nogens ordentlige mor. Læser fuld godnathistorie hver aften uden overspring og snyd. Mens nogen andre tømmer hendes badekar og fylder opvaskemaskinen.

Ikke så fedt:
1. At skulle opfinde aftensmad plus overskue fem menneskers behov over hel weekend, når man står i ISO sent fredag eftermiddag. Alene.
2. At man ikke længere kan skride fra et morgenbord, uden at nogen kommer hjem t. det.
3. Når andre menneskers børn nyser på én.

Heller ikke så fedt:
1. At mænd har mange vaner.
2. At én af dem er, at de helt fast skider om morgenen – næsten på klokkeslæt. Så man går rundt i forurenet atmosfære på badeværelse og omegn fra det øjeblik, man slår øjnene op. (Og hvis man prøver at undgå lugten v. at trække vejret gennem munden kan man fandeme nærmest smage det).

Egne succeser so far:
1. Har endnu ikke haft fuldbyrdet raserianfald over tre etager plus kælder og uudnyttet loft.
2. Har hjulpet Sille m. at male hendes værelse. Og taget hende i Ilva for at købe nye møbler. Og forvandle forvokset børneværelse t. upcoming teenageværelse. (Så så man lige mig være Julia Roberts i *Stepmom*).

3. Fik faktisk arrangeret fastelavnsfest i gårdhave m. tønde, kostumer og hele molevitten. (Og slik for 640 kroner. Måske lidt overdone, men hader skuffe-tønder m. små rosinæsker og appelsiner).

Børnelægens verbale fejltrin – Top 3:

1. »Arj, har du røget, efter du børstede tænder?«.
2. »Vil du ikke med ud og løbe en gang imellem om morgenen? Du ville have godt af det, skat«. (Så fat det dog, dr. med.: Har usund sjæl i kollapset legeme. Og agter ikke at gøre noget ved det).
3. »Skal du bruge alle dine ting, tror du? Eller er der nogen af dem, vi kan have nede i kælderen?«. (Skal du selv bruge alle dine ting, eller kan vi stille nogen af dem over på Rigshospitalet?).

Bonus v. at bo m. mand

1. At man kan drikke vin og spise lakrids, når han kommer sent hjem fra aftenvagt.
2. At man også bor sammen m. alt hans tøj. Og kan tage en af hans sweatere på, når man savner ham.

Må have børnelægen opdraget til:

1. Ikke at stå op i det sekund, vækkeuret ringer.
2. At være åben over for at man kan spise andet til morgenmad end grovmysli m. mælk. (Især når nogen har glemt at købe det).

Elsker:

1. At der er nogen, man kan sige: »Hvornår kommer du hjem?« til.

Savner:

1. Morgen-tv
2. 'Do not disturb'-skilt t. at hænge om halsen.

Hjertet oppe
mellem mandlerne

Mandag kl. 21.41

Hold så op.

Hold så OP, sagde jeg.

Der sker jo ikke noget her, vel. Man kan sagtens sove alene, når man er 39 år. Også på tre etager plus kælder. Og uudnyttet loft.

Børnelæge er på to-dages tur m. medicinalindustrien t. Vejle Fjord Hotel. Ikke ret langt væk. Men langt nok væk til, at han ikke kan høre, hvis jeg råber 'hjælp'.

Er selvfølgelig omgivet af humanister t. alle sider. Og de gør jo ikke noget. Ikke på den måde i hvert fald. Og ingen kan jo vide, at jeg er alene hjemme lige i aften.

Vel?

Hvis man så bare havde et barn at spille voksen overfor. Men Bjørg er hos Thomas. Og de andre er hos designereks.

Altså. Hvorfor kan man ikke være alene hjemme efter kl. 20, uden straks at sætte *Psycho 1, 2* og *3* på indre videoaf-spiller? Er personligt hverken bange for edderkopper, ha-jer eller høj fart. Er bare ikke særlig vild med pludselig at have fået hoveddør og vinduer i gadeplan. Og at skulle overskue fem etager ene mand.

Ville egentlig være mest tryg v. at bruge natten på at afpatruljere hele hytten m. stort nøgleknippe og walkie-talkie. I stedet for at lægge mig på én etage m. overudviklet hørelse og hjertet helt oppe mellem mandlerne.

Kl. 21.43

Hvor er det egentlig mest sikkert at lægge sig til at sove?

Kælder og loft er udelukket. Det er fandeme at bede om det selv. Så er der stuen, første og anden tilbage.

Hvor vil jeg helst dø?

Hvis jeg lægger mig i Silles værelse på 2. sal, kan jeg høre dem, når de kommer. Og måske nå at ringe til nogen.

Men hvis de dér nogen ikke tager telefonen, er der for langt ned til, at jeg kan springe ud af vinduet.

2. sal droppet.

Stuen? Aldrig. Det er den dårligste idé, jeg nogensinde har hørt. Så kan jeg lige så godt tænde alt lyset og sætte mig nøgen i vinduet.

Så er der kun 1. sal tilbage. Føles desværre ikke som 'Dér var den! Nu er jeg overhovedet ikke bange længere'-løsningen.

Kan selvfølgelig også bare stille mig t. at sove i et skab, mens de rydder bulen.

Måske ok idé. Hvis de render m. en masse af børnelægens indbo, bliver der også mere plads t. mine ting. (»Undskyld, men er I ikke søde også at tage sofabordet? Jooo, kom nu. Tag det bare!«).

...

HVAD VAR DET?

...

Tager den. De ringer vel for fanden ikke først. Vel?

Kl. 22.12

Guess who?

Selvfølgelig.

Hvem ellers?

Ville baaare lige høre, om Bjørg ikke trænger til et par nye fløjlsbukser. De har nemlig »sådan nogle smarte nogen i Føtex i øjeblikket«.

Hvor mange gange skal jeg sige det? Bjørg trænger ALDRIG til et par nye fløjlsbukser fra Føtex. Er dét snart forstået?

Og så selvfølgelig: »Hvornår kommer Niels hjem? Er du slet ikke bange for at være alene i det store hus? Ja, jeg ville ikke bryde mig om det«.

(Hun kunne sgu da ellers roligt lægge sig til at sove hvor som helst. Ville højst blive udsat for rovmord. Hvis nogen altså desperat manglede et blåt klippekort).

Kl. 23.12

For helvede, hvor er der mange lyde her. Som jeg ikke kender. Og som ikke kender mig. For så ville de ikke gøre det.

Det tror jeg faktisk ikke, de ville.

Kl. 23.52

Ok. Så er der otte minutter til klokken er tolv.

Nævner det bare.

...

Kl. 00.21

Så. Sidder i soveværelset på første sal m. meget eleveret hovedgærde. Og lader som om resten af huset ikke findes. Har låst døren og hevet en ordentlig cognac ned i bughulen.

Har blik fikseret på dørhåndtag. Og meget dårlig smag i munden. Men tør ikke gå ned og børste tænder.

Kl. 02.12

Jeg er her stadig. Hvis nogen skulle være blevet bekymrede.

Kl. 06.29

Så er faren vist drevet over. Kan godt gå ned og tisse nu. Satser på, at alt ondt er jaget på flugt af støjen fra humanisternes espressomaskiner. Kan oven i købet nå at sove en halv time mere.

Måske en hel.

Kl. 15.12

Så. Børnelægen er hjemme. Har nu igen mand i hus. Der gider at stå op, hvis man hører mærkelig lyd. Og true intruders m. ladt øretermometer.

Onsdag kl. 10.19

Ved du faktisk hvad? Når jeg bliver 40 år, vil jeg have dyrt jakkesæt. Og meget støttende bh t. at have på indenunder.

Kl. 10.20
Christ. Har spildt 180 kroner. Igen. På indkøb af Effet Faux Cils mascara fra YSL. Som anbefalet. Havde så småt regnet med, at se både mænd og møbler blæse omkuld, når jeg blinkede. Men har faktisk ikke haft den store effekt. Hverken på liv eller øjenvipper. Ligner bare nogen m. mascara . As usual.

Torsdag
Hov. Glemte lige noget.

Appendix t. status over liv i rækkerne:

Fordele:
1. Regelmæssig sex

Ulemper:
1. Regelmæssig sex

Fredag kl. 22.40
Har været ude og spise m. Niels på vi-har-ikke-børn-måden, drukket sambuca af rødvinsglas i køkkenet og bagtalt hele Rigshospitalet.
Og vi skal ikke en skid i morgen.
Kan egentlig godt lide mit liv.

Kl. 23.12
Nå. Hm.
Anders og Anna har lige ringet nede fra torvet og spurgt om vi ikke kommer ned og drikker en masse hvedeøl. Og eventuelt en mojito. Der var en masse larm fra verden i baggrunden.
Kunne sagtens selv have kickstartet brandert nu. Og forsøgte at overtale Niels t. også at have lyst til det. Det havde han ikke. Og nu har han børstet tænder. Så nu bliver det i hvert fald ikke til noget.
...
Trænger til en grund til at være urimelig. Hvornår har jeg egentlig sidst haft menstruation?

Norman-fucking-diet

Tirsdag

Der foregår et eller andet. Henne på det dér arbejdet. Nick er så venlig, at jeg bliver utryg af det. Er også blevet kaldt t. møde m. ledelsen på fredag.

Hader den slags. Kan de ikke bare sige, hvis de er utilfredse med noget? Blev lidt længere i dag for en sikkerheds skyld. Og har nærmest heller ikke holdt frokostpause.

Håber ikke, at de er i gang m. at rense biksen for min slags.

Noget af et ansigtstab at blive arbejdsløs i rækkerne.

Nægter altså at få min egen butik i Øster Farimagsgade m. brugskunst og unika-tøj, som alle de andre kartoffelkvinder.

Onsdag kl. 16.33

Nå. Så står jeg her igen. M. kroppen bøjet som ét stort spørgsmålstegn ned i fire kvadratmeter køledisk. Er simpelt hen så træt af alt det hér madlavning.

Nogen må opfinde junkfood-udgave af Aarstiderne.

Kl. 21.25

#¤%&/!!!

Godt så. Dér skete det.

Har haft fuldbyrdet raserianfald. Ud over tre etager. Plus kælder og uudnyttet loft. Samt tre børn. Hvoraf de to ikke er mine egne.

Er stadig R-A-S-E-N-D-E.

Hvad tænker han på?

Hvad i fuldstændig FANDEN tænker han på?

Rejste sig pludselig i udkanten af aftensmaden og sagde: »Hov, for resten ...«, forsvandt ud i gangen og kom retur m. tyk, jordfarvet tryksag. Viste sig at være feriekatalog. Over huse i Normandiet.

»Nu skal I bare se, hvor vi skal holde sommerferie henne«.

...?

Hvad?!?

Men den var god nok.

Børnelægen havde lejet et stenhus i Norman-fucking-diet.

Fire timer og tyve minutters kørsel fra vandet. 14 dage. Midt i juli måned.

Kunne han meddele resten af familien.

Sille spurgte fredsommeligt, om der var nogen butikker. Det var der ikke.

»Men man kan ride. Og der er rafting i nærheden«.

Så var hun og lillebror glade. Og Bjørg forstod ikke en kæft af det hele.

Men det gjorde jeg.

Og jeg skal KRAFTEDEME ikke til Normandiet. Og sidde dér og hænge m. noget lufttørret skinke og et gammelt baguette. Og SLET ikke uden at være blevet spurgt.

Og det kom jeg så til at sige. I et stemmeleje, der kunne høres hele vejen rundt om Søerne.

Børnelægen prøvede med et: »Nynne, prøv nu lige at høre her. Johan har været der og siger, at det er virkelig dejligt. Hvorfor bliver du så sur over det? Jeg troede, du ville blive overrasket. Og glad«.

Overrasket? Ja.

Glad?

Måske kender vi bare hinanden virkelig dårligt.

Eksploderede i et: »Undskyld, men går det på et tidspunkt op for dig, at vi er TO voksne her? Sommerferier er ikke noget, man overrasker hinanden med. Med mindre de går til Caribien og koster 30.000. Pr. person. Ferier, det er sådan noget, man planlægger sammen, du. Og bliver enige om. Og glæder sig til. Og hvad havde du egentlig tænkt dig, at Bjørg skulle lave dernede? Bygge sin egen børnepool?«.

Efterfulgt af syv-otte andre løse beskyldninger.

Så skred jeg ellers ud af køkkenet på over-and-out-måden for at lave et bad til Bjørg. Og efterlod børnelægen iført Storkøbenhavns mest desorienterede udtryk.

Var fandeme så vred og skuffet, at jeg næsten ikke kunne koncentrere mig om at læse *Peter Plys* i børnevenligt tempo.

Havde bare lyst til at rejse mig og gå ind og tage en omgang mere. I kategorien: »Og ved du hvad...«.

Skulle heldigvis over t. Natascha efter børnelukketid.

Skred uden at sige farvel, tændte min smøg allerede i entreen og tog alle gadens bump m. 50 kilometer i timen.

Møgkvarter.

Torsdag kl. 09.12
Er træt. Og ked af det. Og har kvalme.

Har brugt det meste af natten på at prøve at blive lykkelig i rækkerne igen.

Gik dårligt.

Niels synes, jeg er urimelig. Og overreagerer. »Det er jo bare en sommerferie«, som han siger. Og »Nu må du tage dig lidt sammen, altså«. Og »Så kan du bestemme næste år«.

ER jeg bare urimelig eller hvad?

...

Nix. Er altså over stregen. En slags Hästens 2. Kun en måneds tid efter etteren.

Føler mig som et barn. Et festligt indslag i hans liv, man ikke behøver tage med på de store beslutninger. Eller de små for den sags skyld. Har fornemmelsen af, at han også bare kunne have malet lyserødt værelse t. mig, udlevere lommepenge en gang om ugen og gå til forældremøder på mit arbejde. Og så ellers bare fortsætte sit liv, som han plejer.

Forsøgte at forklare mig. Men der var ligesom ikke hul igennem. Børnelægen havde tilsyneladende besluttet, at denne hér gad han ikke at tabe. Konstaterede bare kort, at han jo så måtte aflyse huset. Og at jeg måtte fortælle ham, hvor jeg så gerne ville hen.

Til sidst var vi nødt til at lægge os til at sove. Der var ligesom ikke udsigt til at finde sammen på den oprigtige måde, inden det blev lyst.

Der er relativt fred nu.
Men stadig langt hjem.
Øv.

Fredag kl. 08.04

Har gået rundt i et døgn i underligt vakuum. M. 35 centi-
meters gensidig sikkerhedsafstand. Er ikke uvenner. Men
gør os alligevel stor umage for ikke at komme til at røre v.
hinanden.

Føles tragisk. Og underligt uløseligt. Vil faktisk meget
hellere skændes, end have det sådan her.

Går den slags over af sig selv?

Eller er det starten på 'og så gik det hele støt og roligt ad
helvede til'?

Kl. 08.15

Nå. Op i tempo. Skal t. møde m. ledelse kl. 10.00.

Hvad skal man have på, når man skal ind og fyres?

Sort?

Kl. 11.05

!!??!

...

Undskyld, men hvad har livet gang i?

Var nede ved det dér ledelsen. Ville orientere om nyt
område, der skal ligge i vores afdeling. Eller rettere: En ny
afdeling under vores.

Som de ville spørge, om jeg ville oprette. Og lede.

...

Mig?

...

MIG?

Voksede tolv centimeter. Og en skostørrelse.

Og begyndte så – helt cool – at svede over det hele.

Havde lyst til at riverdance hele vejen rundt om bordet og
råbe: »Hold da kæææææææææft, mener I virkelig det?«.

Prøvede i stedet at se helt almindelig ud i hovedet. Som
om det på en måde var ventet.

Og sagde, at jeg lige ville tænke over det. (As if...)
Kunne mærke, at mødet var slut. Rejste mig fattet. Og vrikkede hårdt om på hælen på vej ud af døren.
Fór op og ringede til alle.
Og gik ned og sagde ja en halv time efter.
Også til lønforhøjelsen.
Og den betalte mobiltelefon.
Og det nye kontor.
Og ansvaret for fem medarbejdere. (Så så man lige mig være nogens chef).
JA!
JAAAAAAAAAAAAA!!!!!
JAAAAAAAAAAAAAAAAAAAAAAAAAAAAAA!!!!!
Hvor blæret.
Og langt ude.

Kl. 12.33
Ringede lige t. børnelægen. Igen. Håbede sådan, at chok-forfremmelse ville trænge alt det andet i baggrunden.
Men han lød stadig anderledes. Sagde selvfølgelig tillykke. Igen. Og »hvor er det flot«. På den matte måde.
Åhh, altså.
Har sådan lyst til bare at være glad.

Kl. 13.51
Nå. Anna og Anders kom brasende fra hver sin ende af huset og sagde tillykke. Og insisterede på, at vi går ud og drikker øl efter arbejde.
Så det gør vi.

Lørdag kl. 09.21
???
Hvor er jeg?
...
NEJ.
Nej-nej-nej-nej-nej-nej.
...
Hvem er det ...

... der ligger dér?

NEEEEEEEEEEEEEEEEEEEEEJ.

Hvad er klokken?

Og hvorfor er det lyst?

...

FUUUUUUUCK, nej.

Jeg må ud – jeg må ud – jeg må ud.

Hvor er mit tøj?

Åhh, bare han ikke vågner nu.

...

»Hej ... godmorgen ... Ved du hvad, det er altså helt frygteligt det her. Det er det. ... Og undskyld. Mange gange. Men jeg skal hjem. Jeg er lige flyttet ind hos nogen, ikke? Så jeg skal rigtig meget hjem«.

(Og hvis der så lige er én, der gider at skrive noget overbevisende i min kontaktbog).

TAXAAAAAAAAAAAAAAAAAAAAAAAAAAAAAAAAA

Kl. 10.02

Står foran hoveddør.

Tør simpelt hen ikke gå derind.

Kan han ikke nok være blevet kaldt på arbejde i nat?

Kan han ikke nok virkelig være blevet kaldt på arbejde?

Kl. 10.31

Det var han så ikke. Stod v. køkkenbordet m. ryggen til.

»Hej Niels ... søde, jeg ved det godt ... men prøv at hør her, jeg kan forklare det hele ... eller altså ... du må ikke ...«.

Vendte sig om. På den langsomme måde.

»Nynne, lad være med at forklare noget«.

(Åhh, han må ikke se sådan der ud).

»Prøv at hør, vi må finde ud af det her, Niels«.

...

»Niels«.

...

»Niels!«.

...

»Vi er nødt til at finde ud af det her ...«.

...

»Jeg er jo lige flyttet ind«.

...

»Jeg ER, Niels«.

...

»Ja, det er du«.

(Gud ske lov. Den taler).

»Og om fem minutter er du lige flyttet ud igen«.

Sagde han og forsvandt op ad trapperne.

Exit børnelæge.

Og exit Nynne.

Fuldt hus

Søndag kl. 07.59
Hvor er jeg?
...

Åhhh, nej. Troede lige, at det var en helt almindelig morgen.

Havde et øjeblik glemt, at livet er gået i stykker.

Anden morgen i træk, jeg vågner op uden for rækkerne. Denne gang på skibsbriksen i Husum. Som landflygtig outcast. Med min mors bebrejdende støvsuger kørende ude i entreen. Og Hovedstadsområdets største selvhad.

Kom herud i går. M. resterne af min tilværelse i en stor Eastpacktaske.

Hvorfor er ens mor stadig det første sted, man søger læ? Når man nu ved, at hun ikke kan håndtere det.

Gik øjeblikkeligt i panik. På 'Hvad-HAR-du?'-måden. Efterfulgt af et »Han har været SÅ god ved dig« og »Så har du bare sat det hele over styr« og »Tænker du slet ikke på Bjørg?«.

(Følte mig straks langt bedre tilpas).

Og så var hun ellers nødt til at gå ud og tage to kodimagnyler.

Til gengæld lavede hun te. Og sørgede for at jeg fik noget aftensmad. Og stak mig et tæppe, da jeg sad og frøs m. tømmermænd i sofaen.

»Ring og sig undskyld,« sagde hun midt i 'Jeopardy'.

Yearh right. Og bagefter kan jeg sikkert lukke Mellemøstkonflikten m. samme fantastiske replik.

Forsøgte at forklare hende, at så enkelt er det nok ikke.

Så var det hun spurgte, om vi skulle spille yatzy.

Hvilket var så dumt, at jeg sagde ja. Var i 40 minutter fri for at tænke på andet end at få fuldt hus. Og to gange tre ens. Med seksere og femmere.

Ringede t. Thomas og snakkede m. Bjørg. Var lige ved at komme til at græde, da jeg hørte hendes stemme.

Gik tidligt i seng. Og sov sent.

Nu ligger jeg egentlig bare og venter på, at klokken skal blive 15.00. Hvor Natascha kommer hjem fra helt, helt ukompliceret weekend i Bruxelles, så jeg kan tage derind. Og være.

Årh, for fanden.

Hvad skal jeg sige nede i vuggestuen? Bliver jeg nødt til at sige noget?

Og hvad med Thomas? Han er vel også nødt til at vide, hvor vi er henne?

Kl. 08.34

Hjælp.

Hjælp, for helvede.

Kl. 00.42

Nå. Har delt to flasker vin m. Natascha. I et ikke helt lige forhold. Og fortalt hende det hele.

Hvordan jeg blev alt, alt for fuld allerede nede på Sabines. Hvor vi bare lige skulle have en øl, inden vi gik ud at spise. Var i fuldstændigt højt humør. Og mødte alle. Kom aldrig på restaurant, men gik bare fra bar til bar. I et større og større selskab.

Stødte ind i rockjournalisten ret tidligt på aftenen. Som Anna kendte fra musikmiljøet. Og som var pæn. Og charmerende. Og sjov. Og meget i nærheden af mig hele aftenen. Endte ude på Vega. Hvor jeg vist nok dansede ret meget med ham. Og ret tæt. Kan huske, at han holdt om mig på rigtig god måde. Og duftede godt.

Og så fik jeg sådan lyst til at kysse. Ikke nødvendigvis ham. Men bare nogen. Selv om de ikke var min kæreste.

Og så kyssede jeg ham. Og kyssede. Og kyssede. Og kyssede. Indtil de tændte lyset på dansegulvet. Og pludselig var det ubærligt, at det skulle stoppe dér. Havde bare lyst til at blive i stemningen. Og i hans arme.

Og så var det, at han havde en taxabon.

Og så var det, at vi kørte hjem. Sammen. Og at jeg vågnede op næste morgen. I en lejlighed på Christianshavn. Med alt for lidt tøj på.

Som i ikke noget. Overhovedet.

»Og for fanden, Natascha. Det var jo slet ikke meningen, vel. Jeg var jo bare glad, ikke. Og fuld. Og nu er det hele ødelagt«.

...

»Og måske er jeg også gravid. På en måde«.

...

»Jeg har i hvert fald haft kvalme i 14 dage. Og jeg tror faktisk slet ikke, jeg har haft menstruation, mens jeg har boet i rækkerne«.

(Havde det kort øjeblik som om, jeg var med i et Ricki Lake show).

Var klar til at høre, at hun desværre ikke kunne være min ven længere.

Men kan tilsyneladende ikke ryste den kone med noget som helst. Udnævnte mig bare til et kæmpefjols. Og sagde, jeg kunne blive boende lige så længe jeg ville. Og mente det. Spurgte så om jeg havde taget en test.

»En intelligenstest?«, peb jeg.

»Måske skulle du begynde med en graviditetstest«.

Mandag

Fatter ikke hvordan. Men har haft no bullshit-dag.

Vågnede tidligt i morges. M. tendens til at være pivet og melde mig syg. Men kunne godt mærke, at det her var så alvorligt, at jeg bare var nødt til at tage mig sammen.

Tog på arbejde klokken syv i morges og lavede en uges arbejde, inden jeg hentede Bjørg. Købte ind til aftensmad og lavede fiskefrikadeller. Læste højt for Bjørg og Victoria og kyssede dem til de skrigende forsvandt ind på Victorias værelse.

Tog den graviditetstest, Natascha havde med hjem.

Den var så positiv.

...

Kørte ud på Steno Apoteket og købte to til.

De var så også positive.

...

Det her er virkelig tæt på at være en drømmesituation.

...
Hvad nu?
Hvad i fuldstændigt verden nu?

Tirsdag
...

Onsdag
Er stadig unplugged.

Nogen burde hænge 'Kommer straks' skilt om halsen på mig.

Kl. 10.12
Har været hos lægen.

Jeg er så stille og roligt 10 uger henne.

Eller to uger fra abortgrænsen.

Kl. 22.17
Natascha er til møde. Og jeg har lagt de små i seng.

Har ikke kunnet tænke rent i to døgn. Men bliver nok nødt til at sætte stikket i nu. Og tage et møde m. mig selv. M. masser af rygepauser.

Vil jeg gerne have det barn?
Ja.
...
Ja, det vil jeg.

Alene?
Ja.
...
Det tror jeg.

Igen?
Det er lige meget.
...
Jeg vil gerne have det barn.

Er godt nok ikke, hvad jeg drømte om. Men måske er det bare sådan, det bliver. Ville frygtelig gerne være én af dem, der fik det ene planlagte kærlighedsbarn efter det andet. Sammen med nogen.

Er imidlertid ikke første gang, jeg må redigere mine drømme efter virkeligheden. På den hårde måde.

Hvorfor skal det hele være så skide forbandet indviklet?

(Og er der for helvede ikke nogen lakridser et eller andet sted i den her husholdning?).

Har prøvet at ringe til Niels flere gange. Får bare hans svarer. Der nøgternt meddeler, at han ikke kan tage telefonen lige nu. (Håber hver gang, at han har indtalt besked i kategorien:»Det er Niels, jeg er helt ude at skide, jeg ringer tilbage, hvis jeg får det bedre«).

Har en fornemmelse af, at han er i gang med at operere sit liv for mig.

Hvilket han på en måde er i sin gode ret til.

Torsdag
Stadig telefonsvarer på.

Skal vi aldrig tale sammen mere så?

Fredag
Giver op.

Giver fandeme op.

Så må han også selv om det.

Ja. Jeg har virkelig, virkelig fucket up. Men han kan sgu da ikke bare lade som om, jeg aldrig har været i hans liv.

Kan han?

APRIL

Må nok ind og redigere
i noget personlighed.

Klaaaart, du har
det sådan nu

Mandag

Ja. Har så haft helt almindelig formiddag, ikke.

Har været t. noget de kalder genetisk rådgivning på Rigshospitalet. Fordi jeg er så gammel. Så de gerne 'vil tilbyde en moderkagebiopsi.'

Sneg mig ind ad svingdøren og gled ubemærket op på afdelingen for ikke at brase ind i børnelægen.

Blev kaldt ind til midaldrende jordemoder, der duftede af håndsæbe. Og stillede en masse spørgsmål om arvelige sygdomme i familien. Kunne jo kun svare for mit eget stamtræs vedkommende.

Viste mig en masse tal og statistikker over misdannelser. Og spurgte så:

»Skal du være alene med dit barn?«. M. et nik hen mod den tomme stol ved siden af min.

Modstod fristelsen til at lægge mig ind over skrivebordet og græde ud v. hendes hvidkitlede bryst. Bare lade det stå ud m. snot og tårer og »jeg er lige blevet smidt ud af min kæreste. Og han arbejder lige her på etagen oven over. Og han er faktisk børnelæge. Og nu vil han ikke snakke med mig«.

Svarede bare: »Det ved jeg ikke. Men det tror jeg. Nok«.

Sagde så ja tak t. nål i maven. M. abortrisiko og hele dynen. Og blev sendt en etage ned.

Føltes ellers ikke, som om der var flere.

Nå. Gjorde faktisk ikke særlig ondt. Lå og kiggede ud ad vinduet, mens tårerne fossede ned i venstre øre og nogen m. store bryster holdt mig i hånden. Var overstået på et par minutter. Fik bukser på igen. Og blev bedt om at gå hjem og lægge mig.

Hjem?

Forlod Rigshospitalet m. underlig tung fornemmelse i underlivet. Havde lagt besked på Niels' telefonsvarer om, at jeg ville komme forbi og hente noget tøj. Og Bjørgs tøjhøne Margrethe.

Følte nærmest, at jeg var i gang m. at begå et indbrud, da jeg m. dunkende puls låste mig ind i rækkerne. Havde halvvejs (eller helvejs) håbet, at han var hjemme.

Det var han så ikke.

Gik rundt m. samme fornemmelse, som når man vander potteplanter for folk, der er ude at rejse. Føltes som om, det var lysår siden, at det her faktisk var mit hjem.

Scannede huset for detaljer, der kunne give mig et hint om, hvad der foregår i hans liv. Men alting så ud som det plejer. Bare uden mig.

Mit sengetøj lå der stadig. Var ellers forberedt på, at min side af Hästens var blevet desinficeret og pakket ind i gennemsigtigt plastik.

Tog lidt tøj i skabet og gik så ind på Bjørgs værelse. Fik akut undertryk i maven, da jeg trådte ind i 2-årig verden med sollys og hvide gardiner.

Ud.

Ud-ud-ud.

Mødte genbo foran huset. Der var ved at stige ud af vintage-agtig stationcar m. solbriller i håret og en kurv grøntsager over armen. Spurgte om vi ikke ville komme til middag næste lørdag sammen med nogle andre fra gaden.

Havde lyst til at svare: »Ved du hvad, jeg har lige fået en biopsi. Og jeg er med al sandsynlighed den ene procent, der aborterer om et øjeblik. I øvrigt er jeg sådan én, der får folks liv til at brase sammen på fire timer. Så jeg tror egentlig bare, du skal invitere en anden«.

Nøjedes med den feje udgave:

»Det lyder virkelig hyggeligt. Men jeg ved ikke, om Niels har planer den weekend. Eller om han skal arbejde. Det tror jeg næsten, han skal. Men jeg beder ham lige give dig besked«.

Hastede ud af rækkerne. På gåben.

Uden noget i kurven.

Tirsdag kl. 20.12
Anders har lige ringet.

Og spurgt om jeg kommer over og ser ishockey, når Bjørg er faldet i søvn. Sagde nej tak t. krisehjælp.

Tror desværre ikke, ishockey hjælper længere.

Onsdag
Jamen, livet er da bare fuld af gode overraskelser.

Åbnede mailboks på arbejdet i morges. Og fandt mail t. alle medarbejdere fra personaleafdelingen. Som ønskede Nynne (har navnesøster i pakkeriet) tillykke med de 50 år.

Der gik nøjagtig syv minutter. Så kom den første lykønskningsmail.

Til mig.

Kraftedeme.

Blev kort efter fulgt op af yderligere en tillykke-mail. Plus en flaske vin i cellofan fra én i regnskabsafdelingen.

Helt ærligt. Det er fandeme ikke engang sjovt.

Røvhuller, altså.

Kan nærmest ikke vente med at fortælle, at mormor her er gravid.

Torsdag kl. 9.12
Var i svømmehallen m. pigerne og Natascha efter arbejde i går. (Blev desværre ikke tilbudt pensionistrabat).

Var i vandet i hundrede år. Gik i sauna bagefter. Og spiste madpakker i omklædningsrummet m. vådt hår og blå læber.

Er fandeme fantastisk at være nogens mor.

Har fuldstændigt sønderskudt kærlighedsliv. Og stærkt tåget fremtid. Men hovedstolen er intakt.

Det aller, allerværste er ikke sket.

Kl. 12.20
Anna har lige været forbi mit kontor. Og spurgt om jeg ikke bare ville have min lejlighed tilbage.

...?

Næh, egentlig ikke.

Har ikke lyst til at blive slået tilbage t. start på den måde.
Uanset hvad.

Nå, men så var der også lige en ting til. Et telefonnummer. Til en psykolog. Lone Riis. På Østerbro. Hvor Anna selv har gået, inden hun blev skilt.

...

Psykolog?

Kl. 12.23
Psyko-LOG?

Kan ikke lige se det for mig.

Har for længe siden lovet mig selv aldrig at gå t. vandhealing, mundaflæsning, aurategning eller krystalaerobic.

Kl. 12.31
På den anden side ret tiltalende at betale nogen for at høre på alt det hér.

Kl. 14.01
Okay.

Gjorde det faktisk. Ringede. Hun havde et afbud i morgen tidlig.

I morgen tidlig???

Nå. Men så fik jeg da noget at gå til.

Måske lige friskt nok at kalde det en hobby.

Fredag kl. 10.13
Helt ærligt.

Så så man lige mig. I en kælder på Østerbro. Med en pakke kleenex på bordet foran. (Er åbenbart med i prisen). Og en høj, midaldrende kvinde m. solbrændte rynker i lænestolen overfor. Der lyttede. På den dyre måde. Og blev ved med at sige »Klaaaart, du har det sådan nu«.

Havde sådan lyst til at spørge, om hun ikke kunne tage på hjemmebesøg hos Niels. Og sige til ham, at han elsker mig.

Fik i stedet ny tid på tirsdag.

Forlod kælderen efter 58 minutter. 700 kroner fattigere.

Men havde selvfølgelig også kædebrugt det meste af den skide pakke kleenex.

Udenfor sad næste case og ventede. Passerede hende m. ildrøde pandaøjne. Og prøvede at se ud, som om jeg bare havde været t. tandlægen.

Kl. 23.04
Har været i Empire og se film m. Merete. Kan stort set kun huske rulleteksterne.

Og at de ikke fik hinanden.

Cyklede gennem rækkerne på vej hjem.

Der var lys.

...

Kors, hvor er jeg træt.

Og sulten.

Kl. 23.24
Hvorfor gjorde jeg det egentlig?

Var ham utro?

Kl. 23.25
Er det bare sådan jeg er?

En slags betinget refleks?

Kl. 23.26
Og hvad skal jeg egentlig sige til ham, hvis han mod forventning tager telefonen en dag?

Love ham, at jeg aldrig gør det mere?

Kl. 23.27
Kan jeg det?

Kl. 23.28
Det ved jeg jo dybest set ikke, vel.

Kl. 23.29
Men har forbandet fornemmelse af, at jeg hellere må se at blive voksen.

Er vist slut med at forsøge at køre den hjem på charmen.
Må nok ind og redigere i noget personlighed.
...
Men kan man over-fucking-hovedet det, altså?

Kl. 23.31
Så er der bare også lige noget andet: Var altså heller ikke
altid lige toppen at være fru børnelægen, vel.
Når hr. børnelægen viste sig ikke ligefrem at have Stor-
københavns mest elastiske personlighed. Men bare kørte
videre, som om han stadig var den eneste over 18 år i hus-
standen. M. ret til at udstede alle indendørs færdselsregler,
bestille sommerhuse i Normandiet og på tredje måned hol-
de alle mine ting nede i kælderen.

Kl. 23.34
Konklusion: Havde problemer i forhold.
Men lyder bare ikke særlig terminalt, når man ridser det
op. Bliver folk ikke ustandselig sammen på mere elendigt
grundlag?
Og på bunden af det hele savner jeg ham bare.
Som i rigtig meget.

Kl. 23.51
Ok. Har taget beslutning.
Og behøver ikke at snakke m. Psykolone om det.
VIL være sammen med ham.
Eller: Vil i hvert fald have lov at fortælle ham, at det er
sådan, jeg har det. Også selv om det ikke er gensidigt. Læn-
gere.

Så sagde han noget

Søndag kl. 09.30
Blev vækket af Natascha klokken otte i morges. Som havde
været til middag og fest hos nogle advokattyper i går. Sam-
men med Johan.
SAMMEN MED JOHAN!
Havde snakket m. ham efter middagen. Også om mig.
Og Niels.
Blev pludselig skrupskingrende vågen. Og gik lynhur-
tigt i lodret. I hvert fald m. overkroppen.
Modtog resumé iført skævt hår og morgenmelet mund:
Niels har det skidt.
(Hørte I DET? Han har det SKIDT!)
Og er meget vred. Og føler sig frygtelig svigtet.
Men savner mig.
(Han SAVNER mig!)
»Så det er nok ok at tage over og tale med ham«, konklu-
derede Natascha, fungerende afdelingsleder i mit liv.
Vidste pludselig ikke, om jeg turde alligevel.
»Men han har jo ikke taget telefonen i to uger. Kan du
ikke tage derover?«, sagde jeg, suspenderet afdelingsleder
i alles liv.
»I passer også meget bedre sammen. I er begge to voks-
ne«.
Det ville hun så ikke.
Altså.
Skal man bare klare alting selv?

Kl. 20.09
Okay. Så kører jeg derover.

Kl. 20.11
Hvilket noget tøj ser jeg mest troværdig ud i?

Kl. 20.14
Great.

HAR simpelt hen ikke tøj, jeg ser troværdig ud i.

...

Kunne også vente til i morgen.

Kl. 20.17
Nej.
Jeg TAGER derover.

Kl. 20.18
Som i nu.

Kl. 20.39
In position.
Locked on target.
I'm going in.

Mandag kl. 08.13
Ikke for noget.
Men gik godt.
Talte m. børnelæge t. 3.30 i nat.

Holdt selv ordet hele den første time. Sagde undskyld 100 gange og på syv forskellige sprog. Og fortalte både siddende, stående, tudende og rygende, at jeg elsker ham. Og virkelig gerne vil tilbage i rækkerne. At jeg måske ikke har personlighed til at hente Alt for Damernes kvindepris 2004. Eller 2016 for den sags skyld. Men at jeg godt ved, at det kræver mere end en finjustering på dele af min adfærd, hvis jeg skal være nogens kæreste. Som i hans.

...

Så sagde han noget.

Med at jeg havde begået et ultimativt tillidsbrud. Og at han ikke vidste, om han kunne komme forbi det. Og at han havde mest lyst til at fortsætte med at være lodret rasende. Men at det ikke var gået så godt med dét på det sidste.

Og at han var klar over, at der måske også var ting hos ham, der kunne trænge til et eftersyn. At det jo ikke var første gang, at han boede sammen m. nogen, der synes, han var for styrende. Og alt for godt tilpas i egne rutiner.

Og dårlig til at se, at andre måske ikke trives lige så godt i dem.

...

Så sad vi lidt. Mens tingene flyttede sig.

...

Og så var det jeg fortalte ham, at jeg er gravid. Som i tre måneder henne.

Og han kom til at glemme at skjule, hvor glad han blev.

...

Så sad vi lidt igen.

Inden han spurgte, om jeg ville være kommet i aften, hvis jeg ikke havde været gravid.

Så var det, at jeg sagde det som det var:

At det vidste jeg ikke. For jeg ER jo gravid.

Men at det troede jeg.

...

Der er vist ikke nogen af os, der ved, om vi kan det her. Men vi prøver.

Han lukkede mig faktisk ind.

Han gjorde.

Onsdag

Har fået svar på biopsi.

M. posten.

Har ok barn i maven.

Det er en dreng.

...

DET ER EN DRENG!

...

Det er vel okay?

Nynnes Dagbog 2
Af Henriette Lind og Lotte Thorsen
1. udgave, 11. oplag
© Politikens Forlag A/S, 2004
POLITIKEN er et imprint under Politikens Forlag A/S

ISBN: 87-567-7061-8

Redaktion: Lars Ringhof
Forlagsredaktion: Mette Viking
Illustrationer: Lise Rønnebæk
Grafisk tilrettelæggelse: Tine Christoffersen
Tryk: Narayana Press

Printed in Denmark 2006

Dele af denne bog har tidligere været offentliggjort i dagbladet Politiken fra januar til december 2003.